entrega-te a
Deus

CATANDUVA SP | 2024

DIVALDO FRANCO
pelo Espírito Joanna de Ângelis

SUMÁRIO

P   **ENTREGA-TE** *a* **DEUS**   8

1   *as* **BÊNÇÃOS** *de* **DEUS**   14

2   **SEMENTES** *de* **LUZ**   20

3   **AGRESSIVIDADE**   26

4   **ENTUSIASMO**   32

5   **CILADAS**   38

6   *com* **ALTA SIGNIFICAÇÃO**   44

7   **MEDIUNIDADE RESPONSÁVEL**   50

8   **PANDEMIA DEPRESSIVA**   56

9   **TECNOLOGIA** *e* **RESPONSABILIDADE**   62

10   *o* **SIGNIFICADO EXISTENCIAL**   68

11   **VIVER** *com* **ALEGRIA**   74

12   **SENTIMENTOS** *e* **AFETIVIDADE**   80

13   **TEMOR** *da* **MORTE**   86

14   **ÂNSIA** *de* **SABER**   92

15   **LIBERTAÇÃO GLORIOSA**   98

104	TEORIA e PRÁTICA	16
110	DIFICULDADES na TAREFA	17
116	os ADVERSÁRIOS, MESTRES OPORTUNOS	18
122	a VITÓRIA da VERDADE	19
128	o INCOERCÍVEL PODER do AMOR	20
134	INTOLERÂNCIA e FANATISMO	21
140	a TRAGÉDIA da DEPRESSÃO	22
146	sob o COMANDO de DEUS	23
152	RELIGIÃO CÓSMICA do AMOR	24
158	o SUAVE ENCANTAMENTO de SERVIR	25
164	DEUS sempre	26
170	as BÊNÇÃOS da ALEGRIA	27
176	o TORMENTO do PODER	28
182	o TORMENTO do EGOÍSMO	29
188	CARTA aos CRISTÃOS MODERNOS	30
196	ÍNDICE	I

primevo: dos primeiros tempos

O glossário desta obra adota como referências principais o dicionário *Houaiss* e a enciclopédia colaborativa *on-line Wikipédia*, limitando e adaptando as acepções ao contexto.

urdir: enredar, tramar, maquinar

A DESENFREADA BUSCA DO PRAZER ENTORPECE OS SENTIDOS DAS criaturas que se arrojam aos despenhadeiros da aflição.

Jamais houve tantas gloriosas conquistas do conhecimento e da razão, como sucede na atualidade, sem que se manifestem correspondentes vitórias sobre as paixões primevas, que permanecem em predomínio, atormentando aqueles que lhes tombam nas armadilhas bem urdidas.

O ser conquistador dos espaços siderais ainda não logrou autoconquistar-se, libertando-se das amarras vigorosas dos vícios e dos instintos agressivos.

Sonhando e viajando no rumo do infinito, aturde-se e perde-se nas mesquinharias do cotidiano a que valoriza excessivamente. Em razão disso, há grandezas no seu comportamento e pequenezes

ENTREGA-TE a DEUS

nas aspirações, raramente superando os limites do imediatismo atormentador.

O andarilho das estrelas perde-se no matagal sombrio da convivência familiar, no trabalho, na sociedade, acumulando amarguras e ansiedades que ressumam continuamente, entre receios injustificáveis e fugas espetaculares em direção ao consumismo e às angústias que não tem sabido diluir.

ressumar: manifestar-se de maneira evidente

Ambicionando sempre a aquisição da cornucópia da fortuna material para atender às ansiedades que o atormentam, desejando saciedade, não se satisfaz quando a possui, anelando sempre por mais, nem se harmoniza quando em carência do supérfluo, que o libera da carga aflitiva dos valores sem valor, mas aos quais atribui significados.

cornucópia: fonte de riqueza ou prosperidade

anelar: desejar intensamente

Dois mil anos de cristianismo, infelizmente deturpado na sua essência, transformado em culto social e em projeção humana, oferecem uma lamentável história de insucessos espirituais e de tragédias defluentes do poder econômico, da situação religiosa, dos destaques comunitários...

Os exemplos de Francisco de Assis, de Teresa D'Ávila, de João da Cruz, ou mais recentes de Madre Teresa de Calcutá e de Francisco Cândido Xavier, dentre outros admiráveis missionários de Jesus, abrilhantam as histórias da fé, mas não se transformam em motivos para que sejam repetidos com o mesmo sentido de dedicação e de renúncia pelas coisas e opção pela verdade.

As disputas pelas posições transitórias e as intrigas contínuas que distraem os frívolos e perturbam a marcha do progresso espiritual sucedem-se calamitosas, agora ampliadas pelos extraordinários recursos do YouTube, do Orkut, do Twitter e do Facebook, assim como de outros programas que deveriam servir de campo de edificação de vidas, desmoralizando pessoas que desagradam, trabalhadores que são fiéis ao compromisso, transformando-se em técnicas de destruição dos valores nobres.

A onda de materialismo sem disfarce, expressando-se pelo erotismo e pelo deboche, pela nudez que passou a ser recurso para chamar a atenção e exaltar a degradação da criatura, contrapõe-se à ética do bem proceder e da dignidade, que perdem o significado ante o volume de perversão que toma conta da sociedade.

Quanto maior e mais comentado o escândalo, mais promovido se torna aquele que o promove, atingindo culminâncias entre os coetâneos, sendo, logo depois, aplaudido e reconduzido aos postos dos quais é expulso por corrupção e vulgaridade. Nada obstante, todos esses que assim se comportam não conseguem evadir-se dos conflitos internos que os atormentam e disfarçam, consumindo-lhes as energias e empurrando-os para os anestésicos do alcoolismo, da drogadição, do sexo sem significado...

... E tombam nas depressões profundas, nos suicídios discretos ou espetaculares, na transferência psicológica para os demais,

---

YouTube: maior *site* para compartilhamento de vídeos digitais

Orkut: rede social que foi líder por muitos anos entre os internautas brasileiros

Twitter: rede social e microblogue (blogue: página pessoal na internet atualizada com a publicação de artigos, *posts*) para troca de mensagens de texto limitadas a 140 caracteres; como microblogue, é o maior do mundo; mudou o nome para X

Facebook: rede social líder mundial

coetâneo: contemporâneo

dando lugar à violência, ao terrorismo, ao crime, às guerras no lar, nas ruas, no trabalho, em toda parte...

Fala-se muito sobre Jesus, que permanece o grande desconhecido da cultura e da civilização modernas.

Mito para uns, Deus para outros, homem comum e depravado como alguns o biografam autorretratando-se, é usado para debates e comentários, autopromoções e agressões fanáticas, sem que a sua mensagem tenha lugar nas mentes ou nos corações.

Para diminuir a situação desastrosa em que se encontram as criaturas terrestres, o espiritismo veio iluminar a senda a percorrer, penetrar o cerne dos sentimentos e libertar a razão das heranças perversas do passado, não encontrando ainda o solo fértil para alcançar a meta a que se destina.

Grande número daqueles que o abraçam, vinculados às amarras ancestrais das experiências vivenciadas, em vez de viverem a humildade e o serviço, atiram-se na arena das competições mentirosas do mundo, gerando cismas e exibindo a falsa cultura de que se dizem portadores, apontando erros, impondo seus pontos de vista, distantes do compromisso com a consciência do dever de amar e servir, de edificar o bem em toda a parte mediante os recursos disponíveis.

É compreensível que essa conduta se expresse, porque a evolução é muito lenta, e ninguém consegue de um salto abandonar o primarismo em que estagiou por longo período, a fim de alcançar os patamares da razão e do sentimento nobre.

Nada, porém, impedirá a vitória d'O Consolador, e todos aqueles que se lhe oponham padecerão o efeito danoso da sua conduta insensata, o que é inevitável.

É necessário amar e compreender a todos, procurando modificar as estruturas do pensamento e do comportamento doentios que vigem na sociedade aflita, oferecendo Jesus e sua doutrina com a pulcritude e beleza com que ele e os seus primeiros

pulcritude: formosura, perfeição

discípulos e seguidores nos ofereceram, e de que Allan Kardec se fez o ímpar mensageiro dos novos tempos.

O retorno à simplicidade do coração, à convivência com os infelizes que enxameiam em todos os segmentos da sociedade, à bondade fraternal e à gentileza amorosa para com o próximo, no lar, no trabalho, na rua, faz-se inadiável, e ninguém impedirá que tal aconteça.

Reencarnam-se em massa os missionários da Nova Era, totalmente entregues a Deus, a fim de romperem com a escuridão que domina o mundo e tornarem-se estrelas luminíferas apontando os rumos da plenitude.

> luminífero: que tem luz, que a produz

Conhecer o espiritismo é uma honra que nem todos valorizam, porque, alguns, apressados em transformar o mundo sem a correspondente mudança interior, vilipendiam-no, combatem-no por meio dos atos, embora dizendo-se vinculados à doutrina, o que lamentarão mais tarde, quando realmente despertarem para a imortalidade na qual se encontram situados.

> vilipendiar: rebaixar; considerar sem valor

Há, sem dúvida, muitas bênçãos e exemplos dignificadores que se transformam em roteiros de vida para os que são sinceros e seguem na retaguarda, confiantes na autossuperação moral e na conquista da paz interior.

Que permaneçam irretocáveis os servidores de Jesus na luta autoiluminativa, esparzindo a doutrina espírita em toda a parte por intermédio do pensamento, das palavras e dos atos!

> esparzir: disseminar, difundir

⁓

Poder-se-á perguntar:

— Mais um livro mediúnico, tendo-se em vista o número de obras respeitáveis que são apresentadas ao público diariamente? Trará alguma novidade ou fornecerá temas relevantes em torno da ciência, da filosofia, da ética, da beleza?

A resposta, à primeira questão, é positiva, porque se torna indispensável repensar, repetir o que já é conhecido, fixar-se o que se ouve e o que se vê no dia a dia das atividades humanas, especialmente no movimento espírita.

Ante a avalanche de obras de degradação humana, de vulgaridade e de banalização da vida e dos valores morais, torna-se necessário que se encontrem obras outras que possam diminuir o efeito pernicioso daquelas que corrompem e ensandecem.

À segunda indagação, diremos que o nosso objetivo não é descortinar os horizontes da ciência e da filosofia, que pertencem aos especialistas, nessa área, que se reencarnam com a missão específica para fazê-lo. Mas certamente tem como fim repetir a ética de Jesus e a sua moral, a beleza da simplicidade e do amor, da caridade e da renúncia, quando prevalecem a soberba, o egotismo e a indiferença pelo ser humano, pela natureza, pela vida.

> soberba: arrogância, presunção
>
> egotismo: apreço exagerado pela própria personalidade; egolatria

Elegemos trinta temas para reflexões daqueles que nos concederem a honra de os ler, oferecendo a visão espírita e cristã em torno deles.

Fazem parte do cotidiano de todas as criaturas que, muitas vezes, ficam indecisas entre o que fazer e como conduzir-se, tal a quantidade de desvios comportamentais que se lhes apresentam.

Iniciamos os nossos estudos analisando *As bênçãos de Deus*, e concluímo-los com uma *Carta aos cristãos modernos*, numa evocação ao *Apóstolo das Gentes*, que enfrentou situações equivalentes às que ora vivemos.

> Apóstolo das Gentes: Paulo de Tarso

Rogando ao Senhor da Vida que nos abençoe e nos ilumine nas decisões existenciais, desejamos aos nossos caros leitores muita paz e alegria de viver.

Salvador, 14 de julho de 2010

Joanna de Ângelis

1

Narra uma antiga história popular que um modesto trabalhador braçal encontrava-se no seu trato de terra lavrando-o, em um amanhecer de beleza arrebatadora, quando se lhe acercou um indivíduo citadino muito bem vestido, materialista confesso, que, impossibilitado de conter a emoção e a arrogância diante do festival de cor, som e magia que a natureza lhe apresentava, perguntou-lhe:

— Camponês, tu crês em Deus?

— Sim, senhor, eu creio em Deus! – respondeu-lhe o homem simples.

— Então, nesta manhã maravilhosa, mostra-me um lugar onde Deus se encontra – e sorriu, sarcástico.

O homem humilde olhou em volta, enquanto se apoiava ao cabo da enxada, e depois, com naturalidade, respondeu:

citadino: habitante da cidade

as BÊNÇÃOS de DEUS

— Senhor, eu não sou capaz de mostrar um lugar onde Deus se encontra nesta paisagem iluminada. No entanto, eu peço ao senhor para mostrar-me um lugar onde Deus não está.

Tomado de espanto, o soberbo afastou-se desconsertado.

Deus se encontra em toda parte, onde quer que se apresente a Sua obra.

Desde a sinfonia galática, nos espaços infinitos, até o acelerado ritmo das micropartículas em suas órbitas.

Quando os geneticistas conseguiram realizar o milagre da decodificação do genoma humano, surpreenderam-se com os bilhões de informações contidas em cada DNA, narrando toda a sua história do passado e guardando as marcas dos acontecimentos orgânicos para o futuro...

Até este momento, por mais aprofundem as reflexões e pesquisas,

soberbo: arrogante, orgulhoso

ainda não conseguiram detectar os fatores que levam alguns genes a mutações que irão responder por diversos processos degenerativos no organismo, e por que numa sequência familiar mantendo o padrão em determinado grupo, logo, subitamente, sem causa lógica, rompe a cadeia e apresenta uma significativa alteração...

De igual maneira, é perturbadora a formação das novas galáxias assim como o desaparecimento de outras nos *buracos negros*...

Por mais penetre a investigação científica e tecnológica nos *milagres da vida*, mais lhes constata a anterioridade, a harmonia, a grandiosidade.

Nas tentativas de interpretar o cosmo, têm sido elaboradas teses contínuas, algumas frutos dos resultados adquiridos com os instrumentos de pesquisa, especialmente depois dos estudos geométricos de Kepler, no fim do século XVI, a respeito da localização dos planetas em volta do Sol, que abriram as perspectivas para melhor entender-se a Criação.

Da mesma forma, desde o modesto telescópio construído por Galileu até o avançado Hubble, novas informações são registradas a cada momento, dando lugar às variadas teorias como as dos *universos paralelos*, das *supercordas*, da *unificação*, da *final* ou de *tudo* e, mais recente, da *desordem* ou do *caos*...

... E enquanto as mentes mais audaciosas analisam a ocorrência do *big bang*, especialmente nos seus *três primeiros minutos*, não poucos tentam impor a ideia da autocriação dispensando a presença de Deus, conforme ocorreu com Laplace ao ser interrogado pelo imperador Napoleão Bonaparte, quando, após ler o seu livro, encontrando-o no palácio do Louvre, informou-o que não havia encontrado nenhuma referência a Deus na sua obra: — *Não necessitei dessa hipótese, senhor!* – respondendo com sarcasmo, como se ele houvesse elaborado todas as respostas para explicar a Criação. E, nada obstante, encontra-se hoje quase que totalmente superada, apesar da presunção do seu autor.

big bang: explosão cósmica que deu origem à criação do universo

Tudo são bênçãos em a natureza.

O Espírito imortal, na sua saga formosa de desenvolvimento dos tesouros inabordáveis que lhe jazem em germe, etapa após etapa acumula experiências e conhecimentos que o levam a louvar, a agradecer e a pedir a Deus ajuda para melhor integrar-se na harmonia da Criação.

Penetrando, pouco a pouco, a sua sonda perquiridora do raciocínio no organismo da vida exuberante, vai encontrando as respostas que o engrandecem e lhe facilitam o entendimento em torno dos objetivos essenciais da pequena existência terrena, ambicionando a grandeza estelar.

Observa a ordem em todas as coisas e o equilíbrio das leis universais e morais, sentindo-se compelido a contínuas alterações de entendimento, conforme os resultados obtidos no seu empenho de crescimento intelecto-moral.

É perfeitamente natural que, em cada época, conforme o desenvolvimento dos valores intelectivos, o ser humano, em sua ânsia de decifrar as incógnitas que encontrava em toda a parte, procurasse entender Deus e submetê-Lo ao crivo da sua dimensão ridícula.

O esforço redundou nas conceituações primárias em torno do Criador, limitando-O à sua capacidade de compreensão, estabelecendo normas que O diminuíssem aos limites das condições precárias da razão em desenvolvimento, facultando o surgimento dos deuses, como verdadeiros inevitáveis arquétipos defluentes do seu avanço pela escala evolutiva.

Do Deus bárbaro e vingativo, imprevidente e humanoide, lentamente passou com Jesus Cristo à condição de Sublime Pai, num conceito afetuoso e ainda humano, porém compatível com a humana capacidade de vivenciá-Lo no seu dia a dia.

Com o advento da ciência, com o desdobramento da filosofia, rompendo as barreiras do passado e facultando a libertação de conceitos que foram deixados porque portadores de rebeldia e de pessimismo, nova compreensão da Sua magnitude tomou lugar na

incógnita: enigma

arquétipo: modelo que funciona como princípio explicativo da realidade material

esfera das reflexões e o materialismo surgiu como sendo a fórmula mágica para tranquilizar as mentes incapazes de penetrar nas abstratas concepções em torno Dele.

Na atualidade, ainda vestido de mitos e de absurdos, dominado por paixões nacionais e políticas, crendices e ritualismos, permanece vitorioso em cultos externos que não resistem às profundas análises da lógica nem da razão, servindo de *ópio para as massas*, que o autoritarismo religioso de algumas doutrinas ortodoxas ou ingênuas ainda submetem.

Essa *Inteligência* criadora que precede ao *big bang* permanecerá por tempo indeterminado não entendida em todos os seus aspectos, pois que, se o fosse, já não seria a Causalidade, cedendo seu lugar ao ainda mesquinho ser humano que ensaia os seus primeiros passos na compreensão da sua própria realidade.

Vivendo mais por automatismo e acreditando por condicionamentos como bem viver e melhor ser feliz, o ser humano em evolução não dispõe da capacidade de abarcar a *Natureza da natureza*, somente para satisfazer a sua ambição intelectual.

Desse modo, mesmo quando não entende Deus, sente a Realidade em tudo e percebe-se mergulhado nesse *Oceano* de harmonia que o comove e não lhe permite estabelecer se Deus está nele ou se apenas é...

Quando alguém perguntou ao eminente cientista Jung se ele acreditava em Deus, ele teria respondido com simplicidade:

— *Eu não acredito. Eu sei...*

Saber é para sempre enquanto crer é transitório.

As bênçãos de Deus inclusive se encontram na capacidade fantástica de o ser humano poder pensar, entender e aprofundar reflexões, conseguindo conquistar a gloriosa oportunidade de saber e transformar em utilidade pelos instrumentos de que se utiliza para penetrar no macro e no microcosmo, mas acima de tudo no Psiquismo gerador do universo e da vida.

Vive de tal forma que te encontres perfeitamente em sintonia com as bênçãos de Deus onde te encontres e diante do que faças, até poderes afirmar um dia, conforme Jesus elucidou:
— *Eu e o Pai somos um...*

> SABER É PARA SEMPRE ENQUANTO CRER É TRANSITÓRIO.
> VIVE DE TAL FORMA QUE TE ENCONTRES PERFEITAMENTE EM SINTONIA COM AS BÊNÇÃOS DE DEUS ONDE TE ENCONTRES E DIANTE DO QUE FAÇAS.

N O TURBILHÃO VOLUPTUOSO DAS PAIXÕES PRIMÁRIAS, A SOCIEdade, sem rumo, estertora...

estertorar: agonizar

Acontecimentos desastrosos e desvarios do comportamento constituem a paisagem momentânea do planeta terrestre em convulsão...

Há glórias da ciência e grandeza da tecnologia, caracterizando as conquistas da inteligência, lamentavelmente sem a correspondente contribuição dos valores éticos e morais.

Denominações religiosas inumeráveis e filosofias de variadas escolas pretendem orientar as vidas que se estiolam ante a devastação do desequilíbrio.

estiolar: enfraquecer-se, debilitar-se

A exaltação do corpo e a sua imposição nos campeonatos da beleza e da exibição do ego em alucinadas competições pelo brilho ilusório do mundo social e econômico empurram o ser humano

SEMENTES *de* LUZ

para o fosso da insensatez, logo apresentando-se frustrado e deprimido, tombando na tragédia da drogadição e do suicídio...

A transitoriedade da existência física, não compreendida quanto seria necessário, impõe o desvario pelo gozo insaciável e permanente, com total olvido da sua fragilidade.

Os exemplos contínuos de triunfadores que permanecem infelizes, de afortunados que vivem em solidão íntima, de famosos que anelam por um pouco de carinho não conseguem despertar aqueles que se deixaram hipnotizar pelo engodo das ambições exacerbadas.

As glórias de um momento logo cedem lugar ao esquecimento e ao anonimato a que são atirados esses iludidos, poucos momentos depois...

Tem-se a impressão de que o caos moral instalou-se no mundo,

olvido: esquecimento

anelar: desejar intensamente

exacerbar: intensificar; exagerar

e o desespero, usando diferentes tipos de máscaras, é presença constante nas existências em estiolamento.

Nada obstante, as criaturas permanecem em correria louca na busca de coisa nenhuma.

Apesar disso, Jesus permanece em plano secundário, ou recordado apenas nas ocasiões pertinentes às necessidades de emergência.

As religiões, na sua quase totalidade, respeitáveis nos seus conteúdos, preocupam-se mais com as estatísticas dos fiéis, as finanças e a opulência dos seus templos, como o luxo dos seus ministros, do que com aqueles para os quais existem.

... E Jesus, que não *tinha uma pedra para reclinar a cabeça, embora as aves dos céus tenham os seus ninhos e as feras os seus covis*.

Lamentavelmente, o exemplo de incontáveis discípulos do seu evangelho, que se lhe dizem afeiçoados, são mais servidores do mundo de César do que da seara de amor, vinculados às fantasias e mitos ancestrais, do que à realidade dos postulados que deveriam vivenciar.

Há um grande vazio existencial na criatura contemporânea, que perdeu o referencial da felicidade, manipulada pela habilidade dos vendedores bem-sucedidos do prazer entorpecente e dos gozos exaustivos...

A sua seara, nestes difíceis dias, permanece imensa e quase ao abandono, por falta de devotados trabalhadores, que ainda são poucos e raros os das *últimas horas*...

~

O semeador, porém, saiu a semear...

Não importa em que tipo de solo caiam as sementes, especialmente aquelas que são de luz.

Onde quer que te encontres, semeia e semeia luz, mediante as palavras e o comportamento saudáveis. Entretanto, se não puderes fazê-lo exteriormente, em razão dos impedimentos complexos, semeia pelo pensamento, esparzindo alegria de vida sã, de afetividade desinteressada.

> esparzir: disseminar, difundir

É necessário, portanto, semear sempre.

Não te imponhas, todavia, não te escuses ao dever de fazer o que te compete e para o que vieste. *escusar: dispensar, prescindir*

Jesus tem outras ovelhas que não apenas aquelas que pastoreou, quando esteve na Terra. Muitas dessas estão aguardando ouvir-lhe a voz, a fim de que, reconhecendo-a, abandonem o abismo em cuja borda se encontram, a fim de segui-lo.

Que sejas tu, aquele que lhes alcancem os *ouvidos* dos sentimentos e o *país* da inteligência em expectativa.

É indispensável que o apresentes na sua pulcritude e beleza, que dele fizeram o *ser mais* perfeito *que Deus ofereceu ao ser humano para servir-lhe de guia e modelo*. *pulcritude: formosura, perfeição*

Nestes dias de pandemônio, que atordoa e enfraquece os valores morais do Espírito, ele enviou o espiritismo, conforme prometera, a fim de que as suas palavras pudessem ser recordadas e outras informações chegassem ao conhecimento das criaturas, facultando-lhes o encontro com a Verdade e a Vida. *pandemônio: confusão, distúrbio, perturbação*

A Revelação dos imortais desvela-o em toda a sua plenitude, perfeitamente identificada com a imortalidade, procurando divulgá-lo quanto seja possível.

Faze a tua parte, ampliando os horizontes mentais da sociedade para bem compreendê-la.

Há muita resistência à conceituação da fé religiosa racional e responsável.

Uma longa adaptação às informações multimilenárias em torno da vida transcendente nos moldes das compreensões humanas impossibilitam a revolução lógica da visão real sobre a imortalidade. *transcendente: superior, sublime; que excede a natureza física*

As mentes anestesiadas pelas contínuas *lavagens cerebrais* a respeito dos gozos celestes dentro dos padrões terrenos e das suas punições cruéis conforme os sentimentos mais vis e perversos têm dificultado a compreensão do inefável amor de Deus e a Sua misericórdia... *inefável: que não se pode descrever em razão de sua natureza, força, beleza; indescritível*

JOANNA DE ÂNGELIS

Fala sobre esse amor, feito de justiça, sim, mas coroado de compaixão.

Apresenta-lhes a sublime senda evolutiva por meio das sucessivas existências e conforta as almas com a esperança sem ilusão e rica de oportunidades de crescimento e harmonia.

Respeita todas as crenças e crenças nenhumas, mas não te omitas, deixando de semear a luz do eterno amor.

A humanidade, que ignora, necessita de orientação.

Evita o mal, compreendendo que a sua existência não é real, mas fruto da ignorância e do primitivismo. O mau é um doente que requer cuidados especiais e não o revide à sua conduta insana.

Compadece-te, desse modo, daqueles que te crucificam no ridículo, no desprezo e na agressividade.

Semeia, pois, cantando o *Sermão das bem-aventuranças* e encorajando os Espíritos para o avanço.

~

> sega: ceifa, colheita

Não te preocupes com a sega, permanecendo na sementeira do espiritismo e aguardando o tempo.

A imortalidade é o honorável destino de todas as existências.

Onde estejas, com quem te encontres, dá o teu testemunho de felicidade que te propicia a fé espírita que te enriquece o ser real que és.

> holocausto: sacrifício

... E se for necessário confirmar as tuas palavras mediante algum tipo de holocausto, que seja por ele e não em decorrência das fantasias e engodos de que a cultura moderna se encontra repleta.

> pulcro: belo, formoso

Bem-aventurado seja aquele que glorifica o Senhor através da vivência íntima e pulcra.

... O semeador saiu a semear luz!...

~

EVITA O MAL,
COMPREENDENDO QUE A
SUA EXISTÊNCIA NÃO É REAL,
MAS FRUTO DA IGNORÂNCIA
E DO PRIMITIVISMO.
O MAU É UM DOENTE
QUE REQUER CUIDADOS
ESPECIAIS E NÃO O REVIDE
À SUA CONDUTA INSANA.

3

Vivem-se, na atualidade, os dias de descontrole emocional e espiritual no querido orbe terrestre.

O tumulto desenfreado, fruto espúrio das paixões servis, invade quase todas as áreas do comportamento humano e da convivência social.

Desconfiança sistemática aturde as mentes invigilantes, levando-as a suspeitas infundadas e contínuas, bem como a reações doentias nas mais diversas circunstâncias.

A probidade cede lugar à avareza, enquanto a simpatia e a afabilidade são substituídas pela animosidade contumaz.

As pessoas mal se suportam umas às outras, explodindo por motivos irrelevantes, sem significado.

Explica-se que muitos fatores sociológicos são os responsáveis pelas ocorrências infelizes.

espúrio: que não está de acordo com as leis

probidade: integridade, honestidade

AGRESSIVIDADE

    Apontam-se a fugacidade de todas as coisas, a celeridade do relógio, o medo, a solidão e a ansiedade como responsáveis pela frustração dos indivíduos, gerando as situações agressivas que os armam de violência e de perversidade.

    A cultura e a ética não têm conseguido acalmar os ânimos, deixando que a arrogância e a presunção enganosas tomem conta dos incautos que se lhes submetem docemente.

    Os relacionamentos sem afetividade real, estimulados por interesses nem sempre nobres, tornam-se rápidos, diluindo-se com facilidade, quando não se transformam em antagonismos, em decorrência de alguma negativa que se torna oportuna e é direcionada ao outro.

    A maledicência perversa grassa nos arraiais dos grupos, minando as bases frágeis das amizades superficiais, e, não poucas vezes,

---

fugacidade: transitoriedade

celeridade: velocidade, rapidez

incauto: imprudente; ingênuo

antagonismo: oposição; rivalidade

grassar: propagar-se; multiplicar-se

transformando-se em calúnias insidiosas. Mesmo entre as pessoas vinculadas às doutrinas religiosas libertadoras que se baseiam no amor e na caridade, no respeito ao próximo e no culto aos deveres morais, o vício infeliz permanece destruidor.

insidioso: enganador, traiçoeiro

Armando-se de mau humor, não poucos homens e mulheres externam o enfado ou os sentimentos controvertidos em que se consomem, dando lugar a situações vexatórias. Em mecanismo de transferência psicológica atiram os seus conflitos à responsabilidade dos outros, como se estivessem desforçando-se da inveja que experimentam em relação a eles.

enfado: tédio; aborrecimento

desforçar: desagravar

Aumenta assustadoramente a agressividade, nestes dias, nos grupos humanos, sem que haja um programa de reequilíbrio, de harmonização individual ou coletiva.

Trata-se de uma guerra não declarada, cujos efeitos perniciosos atemorizam a sociedade.

As autoridades dizem-se atadas a dificuldades quase insuperáveis em razão do suborno, do tráfico de drogas, dos desafios administrativos, da ausência de pessoal habilitado para os enfrentamentos, falhando, quase sempre, nas providências tomadas.

Permanecem, desse modo, os comportamentos infelizes nos lares, nos educandários, nas vias públicas, no trabalho...

A agressividade é doença da alma que deve merecer cuidados muito especiais desde a infância, educando-se o iniciante na experiência terrestre, de forma que possa dispor de recursos para vencer a inferioridade moral que traz de existências transatas ou que adquire na convivência doentia da família...

transato: passado

~

A agressividade é herança cruel do medo ancestral, que remanesce no Espírito desde priscas eras.

prisco: antigo

Não diluído pela segurança psicológica adquirida mediante a fé religiosa, a reflexão, a psicoterapia acadêmica, a oração, domina os recônditos do sentimento e exterioriza-se de forma infeliz na agressividade.

A ausência dos diálogos domésticos saudáveis entre pais, filhos e cônjuges ou parceiros, que se agridem mutuamente, sempre ressentidos, extrapolam do lar em direção à via pública, transformada em campo de batalha, seguindo no rumo do local de trabalho, e até aos clubes de recreação em contínuo destrambelho das emoções.

Nesse contubérnio afligente, Espíritos irresponsáveis e frívolos aproveitam-se das vibrações deletérias e misturam-se com esses combatentes perturbados, aumentando-lhes a ferocidade e estimulando-lhes os instintos inferiores.

contubérnio: convivência

deletério: danoso, nocivo; degradante

O resultado são os crimes hediondos, asselvajados, estarrecedores, que aumentam o índice de maldade em razão da ingestão de bebidas alcoólicas, de drogas alucinantes e fatais...

hediondo: pavoroso, repulsivo

A civilização contemporânea periclita nos seus alicerces materialistas, ameaçada pela agressividade e pelo desrespeito moral que assolam sem freio.

periclitar: correr perigo

Sem dúvida, estudiosos do comportamento, educadores sinceros e devotados, religiosos abnegados, pensadores sensatos e sociólogos lúcidos vêm investindo os seus melhores recursos na construção da nova mentalidade saudável, em tentativas ainda não vitoriosas para a reversão do quadro aparvalhante, confiantes, no entanto, nos resultados futuros.

aparvalhante: desnorteado, desorientado

O progresso moral é lento e exige sacrifícios de todos os cidadãos que aspiram pela felicidade e pela harmonia na Terra.

As respeitáveis contribuições da ciência e da tecnologia, valiosas sob qualquer aspecto consideradas, respondem por muitas modificações das estruturas ultramontanas, suprimindo a ignorância e o primitivismo. Nada obstante, também são usadas para o crime de várias denominações, especialmente pelos veículos da mídia: os periódicos, a internet, a televisão, assim como o teatro e o cinema, com a sua complexa penetração nas massas, às vezes usados vergonhosamente e sem nenhum controle, oferecendo campo de vulgaridades e informações que preparam delinquentes e viciosos...

ultramontano: que está além dos montes

A rigor, com as nobres exceções existentes, a sociedade moderna encontra-se gravemente enferma, necessitando de urgentes cuidados, que o sofrimento, igualmente generalizando-se, conseguirá no momento próprio oferecer a recuperação, o reencontro com a saúde após a exaustão pelas dores...

Instala-se, desse modo, lentamente, o período da paz, da brandura, da fraternidade.

Sofrido, o ser humano ver-se-á compelido a fazer a viagem de volta às questões simples e afáveis, à amizade e à ternura, qual *filho pródigo* de retorno ao lar paterno após as extravagantes experiências que se permitiu.

Que se não demorem esses dias, que dependerão do livre-arbítrio dos indivíduos em particular e da sociedade em geral, embora o progresso seja inevitável, apressando-se ou retardando-se em razão das opções humanas.

A agressividade infeliz é doença passageira, embora os grandes danos que produz, cedendo lugar à pacificação.

Torna dócil a tua voz, nestes turbulentos dias de algazarra, e gentis os teus gestos ante os tumultos e choques pessoais...

Com sua sabedoria ímpar, Jesus assinalou:

Bem-aventurados os mansos, porque eles herdarão a Terra. (Mt 5:5)

Suavemente permite que a mansidão domine os territórios das tuas emoções, substituindo esses infelizes mecanismos da inferioridade moral pelos abençoados valores da verdade.

A AGRESSIVIDADE INFELIZ
É DOENÇA PASSAGEIRA,
EMBORA OS GRANDES DANOS
QUE PRODUZ, CEDENDO
LUGAR À PACIFICAÇÃO.
SUAVEMENTE PERMITE QUE
A MANSIDÃO DOMINE OS
TERRITÓRIOS DAS TUAS
EMOÇÕES, SUBSTITUINDO
ESSES INFELIZES MECANISMOS
DA INFERIORIDADE MORAL
PELOS ABENÇOADOS
VALORES DA VERDADE.

hodierno: atual

Sem dúvida, os sofrimentos na sociedade hodierna acumulam-se, levando ao desespero indivíduos e coletividades que se vergam ao peso das íntimas aflições que explodem em todas as direções.

Provações coletivas, defluentes da grande transição que se opera no planeta, ampliam o seu raio de ação, e as tragédias multiplicam-se, assustando os governos e os povos das nações vitimadas, que procuram com avidez recursos monetários para a restauração da ordem e do bem-estar.

Os índices de criminalidade crescente fazem-se impressionantes, sem que as soluções, aparentemente válidas aplicadas, consigam alcançar o êxito que se pretende.

sísmico: causado por terremoto

Ameaças de contínuos desastres sísmicos, sociais e psicológicos, decorrentes da falência dos valores morais aceitos e aplicados na

ENTUSIASMO

conduta humana, são apresentadas por especialistas que igualmente acompanham o aquecimento global, que se responsabilizará por transtornos colossais, sem que sejam encontrados os recursos hábeis para impedi-los...

Nada obstante os enunciados sobre os acontecimentos desastrosos, os seres humanos em sua maioria prosseguem desatentos, correndo com sofreguidão na busca do prazer exaustivo, em fuga espetacular da responsabilidade, procurando evitar o enfrentamento com a consciência.

A correria desenfreada arrebata as multidões que se entregam à alucinação, logo passam os momentos dos choques emocionais decorrentes das enormes calamidades que abalam o mundo...

Uma vaga imensa de desânimo arrebata uns grupos humanos, enquanto outros se atiram nos fossos do gozo, procurando fruir

vaga: onda

de todo tipo de sensações imediatas, esquecendo os fenômenos de advertência.

Dias estes de paradoxos na cultura da Terra!

Uma pausa de reflexão, no entanto, pode contribuir de maneira eficaz para a equação definitiva dos graves problemas em vigência.

Nessa análise interna que resulta da tranquila busca do entendimento das ocorrências do cotidiano, descobre-se qual a real finalidade da existência física na esteira das reencarnações. Assim ocorrendo, o estudioso de si mesmo logo percebe quais as necessidades fundamentais para a sua autorrealização, envidando esforços para alterar o ritmo dos acontecimentos nefastos, dando-lhes outro roteiro.

Indispensável se torna o trabalho pessoal de despertamento da consciência para alcançar a felicidade, que é o objetivo básico de todas as buscas filosóficas e espirituais que fazem parte do processo evolutivo.

Nenhuma solução, porém, existe em caráter milagroso para a solução das graves problemáticas que atingem a população da Terra.

Certamente novos e contínuos cataclismos ocorrerão, em decorrência da estrutura íntima do planeta, que prossegue acomodando as suas placas tectônicas, solidificando os metais em ebulição, corrigindo a inclinação do seu eixo, adaptando-se a uma nova ordem cósmica...

Esse programa faz parte do processo de sua evolução e ninguém pode modificá-lo, embora consiga, muitas vezes, detectar-lhes as ocorrências...

A questão de natureza moral é que deve ser alterada, a fim de que a sensatez e o equilíbrio norteiem as existências no rumo da sua imortalidade.

~

Entusiasmo espiritual, eis um dos mecanismos pedagógicos para os enfrentamentos e a superação das aflições.

---

paradoxo: contradição

cataclismo: convulsão ou transformação de grandes proporções da crosta terrestre

placa tectônica: subdivisão da crosta terrestre que se movimenta lenta e continuamente sobre o manto terrestre, podendo causar abalos na superfície

Nas suas múltiplas acepções, a palavra entusiasmo significando, em grego, *deus dentro de nós*, em razão do êxtase nas cerimônias das religiões da antiguidade, é o estímulo jubiloso para a criatura encontrar-se em perfeita sintonia com a Essência Divina, tornando-se-lhe indispensável aplicar os recursos de que dispõe a sua exteriorização.

A destruição é necessária para que haja a renovação.

A morte é trânsito para a vida.

O que ora se destrói, logo se converte em ressurgimento rico de vida.

Definitiva em expressões orgânicas e sem elas, a vida é uma fatalidade para ser enfrentada e experienciada.

Em todas as épocas, esses fenômenos geológicos e climáticos têm ocorrido para a adaptação do mundo terrestre ao programa que lhe está destinado, como sendo *mundo de regeneração*.

Nessa perspectiva, ainda por muito tempo ocorrerão tais calamidades que, de alguma forma, em atingindo a criatura humana, contribuirão para o seu desenvolvimento intelecto-moral.

Contempla, desse modo, a terra sofrida após a rude tempestade: o solo encharcado, as árvores despedaçadas, as construções derruídas, os deslizamentos, as enchentes pavorosas, a destruição... A vida, porém, logo passado algum tempo, ressurge em vitória e refaz a paisagem ferida...

Observa as edificações em ruína, em desolação sob o cáustico verão, que a primavera reverdece e embeleza.

cáustico: que aquece excessivamente

Há uma ordem transcendental que escapa à observação imediata do transeunte físico, porquanto o mesmo sucede no *planeta moral*.

transcendental: superior, sublime; que excede a natureza física

O desalento e as trágicas ocorrências de um momento, passado o temporal rigoroso, enriquecem-se de entusiasmo inspirador e transformam-nos em ações nobilitantes que lhe refazem os campos vibratórios e abençoam-lhe o Espírito.

transeunte: pessoa que está de passagem

Desse modo, desperta para a realidade e deixa-te permear pelo entusiasmo do amor e da caridade, alterando o *país dos sentimentos* ultrapassados.

Não te permitas o desencanto em relação à vida, nem te precipites nos abismos das fugas psicológicas, porque a encontrarás onde quer que vás, talvez mais complicada do que deparas neste momento.

Adota a conduta reta, educa-te mediante as lições iluminativas do evangelho de Jesus, despertando para novos comportamentos.

És autor do teu futuro, que escreves com as tuas ações atuais, assim como delineaste ontem as ocorrências de hoje.

Não te permitas o anestésico da ilusão, sempre temporária, porque despertarás inevitavelmente...

As Soberanas Leis estabeleceram códigos de equilíbrio e de sabedoria que se encontram ao alcance de todos aqueles que se resolvem pela aquisição da plenitude.

Descobri-las no cotidiano constitui a grande conquista para vivenciá-las com entusiasmo e perfeita integração.

Com entusiasmo confia e serve, luta e ama, alegra-te e mantém-te em paz.

Com entusiasmo ajuda o teu próximo, compreendendo-lhe a posição, quando se te faça inamistoso, agressivo, perturbador...

Torna-te exemplo de paz e o teu entusiasmo se transformará em uma sinfonia que sensibilizará outros corações em expectativa e em incerteza a respeito da vida.

Canta com entusiasmo a sublime balada que se encontra na fé em Deus, e as ocorrências funestas serão transformadas em bênçãos de harmonia pelo teu percurso de crescimento espiritual.

---

inamistoso: não amistoso; hostil

funesto: nefasto, desastroso

ÉS AUTOR DO TEU FUTURO, QUE ESCREVES COM AS TUAS AÇÕES ATUAIS, ASSIM COMO DELINEASTE ONTEM AS OCORRÊNCIAS DE HOJE. NÃO TE PERMITAS O ANESTÉSICO DA ILUSÃO, SEMPRE TEMPORÁRIA, PORQUE DESPERTARÁS INEVITAVELMENTE...

5

Assevera antigo refrão popular que *somente lobos caem em armadilhas para lobos*.

Na trajetória humana em favor do desenvolvimento moral e intelectual, o Espírito, não poucas vezes, defronta armadilhas bem urdidas, nas quais tomba de maneira irreversível, comprometendo-se por largo período...

Constituem testes à resistência moral de todo jornaleiro que se aprimora através das experiências da evolução.

Ninguém que desempenhe funções ou papéis relevantes que não seja surpreendido por esses mecanismos perigosos que lhes põem à prova a capacidade mental e as resistências morais.

Sutis, algumas vezes, apresentam-se como dourados atrativos que seduzem e terminam por envilecer o caráter de quem lhes aquiesce ao convite.

urdir: enredar, tramar, maquinar

jornaleiro: quem empreende uma jornada

envilecer: tornar vil, desprezível

aquiescer: consentir, concordar

CILADAS

Noutras ocasiões, surgem de inopino, ameaçadoras e voluptuosas, surpreendendo e obrigando as vítimas a capitular, inermes, interrompendo o ritmo do ideal, da conduta, do trabalho a que se afervoram.

Algumas anunciam favores e glórias fascinantes que atingem a sensibilidade emocional, levando a paixões de afetividade doentia...

Inúmeras outras assumem o odioso aspecto da animosidade e da perseguição inclemente e gratuita, que termina por desestruturar aquele que lhe padece o cerco.

Normalmente, fazem-se insinuantes e agradáveis, sem aparente malícia nem mácula, culminando pelo envolvimento daquele que se permite fascinar pelo engodo de que se revestem.

Semelhante ao que ocorre com os insetos colhidos nas malhas brilhantes da teia de aranha que os espreita, a fim de devorá-los

inopinado: inesperado, imprevisto

capitular: render-se, entregar-se

inerme: indefeso

depois, logra êxito em razão dos fios viscosos e de aparência inocente que retêm as presas incautas, impossibilitadas de qualquer forma de libertação.

Existem as ciladas licenciosas, vulgares, insensatas, em que muitos corações gentis e dóceis enleiam-se, comprazendo-se irresponsavelmente no comportamento divertido que se torna chulo e perturbador.

Diversas outras são refinadas e trabalham a presunção do indivíduo invigilante, afastando-o do convívio social saudável que parece asfixiá-lo, isolando-o na alienação da falsa autossuficiência...

As ciladas constituem recursos perturbadores durante a experiência humana, e têm a finalidade de proporcionar a aquisição de resistências espirituais e de valores pessoais ao indivíduo, mediante os quais o Espírito se enriquece de sabedoria.

Todos os seres humanos, de uma ou de outra maneira, experimentam-nas durante a vilegiatura terrestre.

~

Há, porém, outro gênero de ciladas perversas que merecem atenção redobrada. Trata-se daquelas que são programadas no mundo espiritual inferior, nas quais se comprazem os Espíritos invejosos, atrasados, primários e os malvados que se transformam em obsessores, verdadeiros verdugos das demais criaturas humanas, individualmente, assim como da sociedade terrestre como um todo...

Odiando o progresso moral, do qual se alijaram por vontade própria, elegendo o sofrimento decorrente da ignorância em relação à verdade como diretriz de segurança pessoal, esses Espíritos infelizes transformam-se em inimigos do bem, que pensam impedir de expressar-se, assim como da felicidade do próximo que invejam.

Quando alguém se alça acima da craveira comum e chama a atenção pelos valores éticos, culturais, políticos, religiosos ou de qualquer outra natureza, investem, furibundos, contra, gerando situações embaraçosas, complicando-lhes os relacionamentos e comprazendo-se em afligi-los...

São hábeis nas técnicas de inspiração doentia, trabalhando as reflexões mentais daqueles a quem antipatizam com vibrações perniciosas e extravagantes que desajustam as suas vítimas.

Noutras ocasiões, trata-se de inimigos de existências passadas, que mantêm ressentimento em forma de rancor e desejo incontrolável de vingança, na sua morbidez dominadora.

Insinuam ideias de enfermidades simulacros, transmitem sensações doentias, envolvem em ondas mentais depressivas, suspeitosas ou de violência, em contínuas tentativas de alienar aqueles que lhes caem nas ciladas mentais.

> simulacro: que é uma simulação

Ociosos e insensíveis à compaixão ou à fraternidade, persistem com virulência nos seus propósitos infelizes, tornando-se inflexíveis na razão direta em que encontram resistência naqueles que pretendem azorragar.

> virulência: carregado de violência
>
> azorragar: fustigar, açoitar

Atiram pessoas irresponsáveis e igualmente ignorantes contra quem se esforça por superar as inclinações inferiores, tornando-se patrulheiros inconsequentes dos seus atos, em razão de não desejarem sintonia com as suas mazelas.

Estimulam a sensualidade e provocam paixões tórridas de consequências desastrosas, desrespeitam os sagrados vínculos do matrimônio, da fidelidade, da consideração que todos se devem reciprocamente.

Acompanham aqueles que estão sob a sua alça de mira na condição de vigias impiedosos, sempre aguardando qualquer brecha mental, emocional ou moral, a fim de iniciarem as vinculações obsessivas, mediante as quais pensam em destruí-los.

No que diz respeito aos trabalhadores do evangelho de Jesus através da revelação espírita, iracundos e violentos tudo investem, na sua sanha alucinada, para impedir-lhes o cumprimento dos nobres deveres abraçados.

> iracundo: cheio de ira, furioso
>
> sanha: fúria, ira

Certamente, ninguém se encontra sem a proteção do Senhor da

Vinha por meio dos seus emissários e dos seus próprios benfeitores que lhe executam a vontade.

Nada obstante, as ciladas que padecem os trabalhadores do bem fazem parte do esquema para a aprendizagem superior a respeito da realidade imortalista na qual todos nos encontramos mergulhados.

Essas experiências também ensinam como se deve comportar o obreiro de Jesus diante dos famigerados enfermos da alma, que se demoram na erraticidade necessitados de compaixão e de socorro.

Constituem treinamento para o futuro, quando convocados às tarefas de misericórdia em regiões dolorosas onde eles se homiziam.

Nunca desanimes, quando te sentires assediado por esses vândalos do mundo espiritual inferior.

Quanto mais responsabilidades tenhas, maior será o cerco em volta dos teus passos.

Porque és fiel ao objetivo que persegues, mais violentas serão as técnicas usadas nas ciladas que preparam.

Dulcifica-te e não reajas ao mal.

Age com bondade e sê fiel em qualquer circunstância ao ideal ao qual te afervoras.

Nunca revides, mesmo quando agredido, desperdiçando valiosa quota de energia com o que realmente não tem significado real, exceto aquele que lhe atribuis.

Ora e confia, alegrando-te quando sob chuva de calhaus e sorrindo quando jornadeando sobre cardos, deixando pegadas de dor e de júbilo pelo caminho, a fim de que demonstres que segues aquele que aparentemente morreu vencido em uma cruz de vergonha, e que, após essa máxima cilada dos maus, retornou triunfante conforme prometera.

---

erraticidade: intervalo em que se encontra um Espírito entre duas reencarnações; plano espiritual

homiziar: esconder

dulcificar: abrandar; tornar agradável

calhau: fragmento de rocha

cardo: erva com folhagem espinhosa

AGE COM BONDADE
E SÊ FIEL EM QUALQUER
CIRCUNSTÂNCIA AO IDEAL
AO QUAL TE AFERVORAS.
NUNCA REVIDES, MESMO
QUANDO AGREDIDO,
DESPERDIÇANDO VALIOSA
QUOTA DE ENERGIA COM O
QUE REALMENTE NÃO TEM
SIGNIFICADO REAL, EXCETO
AQUELE QUE LHE ATRIBUIS.

6

Convidado ao banquete da era nova, não te preocupes com as grandiosas realizações que exaltam o ego, e que possivelmente não chegarão até os teus sentimentos elevados.

Elege o serviço de socorro, conforme as circunstâncias se te apresentem. Enquanto alguns indivíduos aguardam os momentos de grande magnitude para cooperar com o bem, sê tu aquele que elege as atividades de pequena monta, nada obstante básicas para os opimos resultados da harmonia do conjunto.

Sempre há lugar para quem deseja servir sem exigências, sendo muito bem recebida qualquer cooperação espontânea.

Ninguém alcança a meta que fascina à distância, se não se resolve por dar o primeiro passo, que é decisivo na marcha.

As construções de alto gabarito coroam-se de êxito, mediante a contribuição quase desvalorizada, e que se perde no anonimato

opimo: de grande valor, excelente

com **ALTA SIGNIFICAÇÃO**

dos operários mais modestos. Aos hábeis engenheiros e inspirados arquitetos cabem a planificação, os cálculos matemáticos, os desenhos e estudos sobre o solo, tanto quanto o material de uso, examinando-lhes a segurança, a durabilidade, a adaptação aos efeitos estéticos...

planificação: ato de projetar; planejamento

Apesar dos valiosos cuidados, serão as pessoas simples, destituídas de profundos conhecimentos, que tornarão realidade o engenhoso projeto, pedra a pedra, ladrilho a ladrilho...

O mesmo sucede com todas as desafiadoras máquinas e obras da moderna tecnologia, que se tornam factíveis graças aos trabalhadores anônimos que as executam.

factível: realizável

Considerando-se os projetos espirituais que dizem respeito à renovação da sociedade terrestre, a tua é valiosa contribuição por menor se te pareça.

Pequeno erro de cálculo e toda uma edificação rui, assim como qualquer colocação inadequada de algum material ameaça o conjunto.

Nas aparentemente insignificantes realizações encontram-se valores de alta significação para o bem geral.

Na área da mediunidade, por exemplo, preocupa-te inicialmente com a autoiluminação, a fim de que irradies claridade interior onde te encontres. Logo depois, elege as tarefas que à vaidade repugnam, que a soberba desconsidera aguardando projeção e destaque na comunidade.

> soberba: arrogância, presunção

Assume o compromisso íntimo de servir da maneira mais modesta possível, mantendo o intercâmbio psíquico com os benfeitores espirituais que te conduzem a existência, de forma que possas atender, mediante o contributo do conforto moral, os infelizes de ambos os planos da vida, que se te acerquem em aflição...

> contributo: contribuição

Não aguardes a exaltação das tuas faculdades, colocadas nas montras da exibição fútil, nem à disposição de experimentadores presunçosos, sempre à cata de novas e contínuas demonstrações para atendimento à própria vaidade.

> montra: vitrine

Busca aprimorar os sentimentos de caridade e de ternura para atender com carinho *os filhos do Calvário*, que te foram legados por Jesus, homenageando-o neles com espírito solidário, rico de fraternidade.

> Calvário: monte onde Jesus foi crucificado

Se desempenhas uma função administrativa no grupo social em que te movimentas, nunca te esqueças da gentileza e da cortesia, especialmente em relação aos servidores mais modestos, que alguns arrogantes têm na conta de desprezíveis. Sem eles, não conseguirias desincumbir-te da investidura que te diz respeito.

> investidura: cargo; responsabilidade

Procura ser justo para com todos aqueles que participam do teu esquema de ações, repartindo igualitariamente com todos, a tua atenção e os teus cuidados, que se tornarão a tua marca registrada na convivência.

Se exerces funções de alta responsabilidade, mantém-te simples para que todos tenham acesso à tua presença e possam ajudar-te com simpatia e vibrações de amizade legítima.

Evita a bajulação e a corte de insensatos à tua volta, fingindo estima que realmente não têm em relação à tua pessoa. Não poucos desses acólitos da vaidade anelam pelo teu insucesso, desejando substituir-te na função ou na atividade que exerces. Tem, portanto, muito cuidado com os elogios injustificáveis, com a rede de intrigas em torno de ti, depreciando uns e exaltando outros que, possivelmente, não merecem o incensório da mentira...

Ninguém existe tão autossuficiente que dispense a contribuição de outrem.

A vida humana, no seu sentido gregário, como a dos animais, é lição de necessidade de apoio, de ajuda recíproca, de afeição.

Mesmo Jesus, a fim de exercer o seu ministério na Terra, convocou doze companheiros, embora conhecendo a fragilidade moral de alguns deles, com os quais deu início à fundação do seu reino no país dos corações humanos.

Posteriormente, quando as notícias se espalhavam pelos variados pontos do país e do estrangeiro, acionou mais setenta para que levassem a mensagem a outros rincões, dois a dois, em solidariedade recíproca, de maneira que ele pudesse ir depois completar a tarefa que iniciariam...

... E depois da morte, no memorável sermão de despedida, recrutou quinhentas testemunhas da sua ressurreição, para que a levassem pelos mais diferentes recantos da Terra.

Mesmo hoje continua convidando cooperadores que estejam dispostos a trabalhar na sua vinha.

Sendo a pureza máxima, não recusou o devotamento de uma ex-obsessa do sexo desvairado nem a gentileza do rude cobrador de impostos que o permitiu entrar na sua casa, onde o recepcionou com imensa felicidade...

---

corte: lisonja para obter vantagens

acólito: ajudante, assistente

anelar: desejar intensamente

incensório: recipiente para queima do incenso

gregário: que tende a viver em comunidade

rincão: lugar afastado

> **desvelo:** dedicação, zelo
>
> **réprobo:** banido da sociedade ou odiado por seus pares

A todos atendeu com o mesmo desvelo e carinho, sem conceder exceção aos réprobos e desprezados, por cuja assistência foi denunciado como *beberrão e comilão, convivendo com pecadores e gente de má vida*, conforme o perseguiam os seus adversários. Antes, pelo contrário, informando que viera para eles, deu-se-lhes com extrema consideração.

É natural que, lhe seguindo as pegadas, não elejas comportamento diferente.

> **pusilânime:** fraco moralmente
>
> **efêmero:** breve

O século, sempre pusilânime, gratifica aqueles que se lhe entregam, oferecendo-lhes coroas floridas de efêmera duração, terminando por devorá-los na volúpia das suas paixões. Enquanto com ele, talvez não homenageado nem destacado na comunidade, estarás rico de paz interna e de inefável bem-estar.

> **quimera:** fantasia, ilusão

Todos aqueles que transitam aureolados pelas quimeras nos carros reluzentes das terrestres vitórias não podem eximir-se à desencarnação que os reduz a pó no túmulo, onde se misturam com os párias e os desprezados, aos quais, jamais concederam nenhuma atenção...

A partir dali, com os tesouros que transferiram do mundo e com eles seguem, avançam em direções diferentes, rumando para a imortalidade que a todos aguarda.

Não te deixes, desse modo, enganar pelos vãos triunfos.

O tesouro verdadeiro, aquele que te fará feliz, será o que obterás em relação às tuas imperfeições morais.

Treina, portanto, realizações simples e sem destaques, a fim de que, chamado a assumir graves responsabilidades, quando ocorrer, estejas habilitado pelas conquistas humanas logradas nas realizações humildes e de alta significação.

TREINA REALIZAÇÕES SIMPLES
E SEM DESTAQUES, A FIM DE
QUE, CHAMADO A ASSUMIR
GRAVES RESPONSABILIDADES,
QUANDO OCORRER,
ESTEJAS HABILITADO
PELAS CONQUISTAS
HUMANAS LOGRADAS NAS
REALIZAÇÕES HUMILDES
E DE ALTA SIGNIFICAÇÃO.

7

CRIOU-SE UM CONCEITO INFELIZ, QUE SE POPULARIZOU, A RESpeito da mediunidade, informando ser uma pesada cruz para os seus portadores.

A partir da informação incorreta, passou-se a temer o desenvolvimento mediúnico por associá-lo às terríveis aflições que acarretaria.

Não poucos candidatos ao ministério mediúnico, por desconhecimento dos valores que tipificam a faculdade, evitam exercitá-la, receando a carga afligente das provações que seriam acrescentadas à existência.

É totalmente destituída de legitimidade a leviana informação, desde que a mediunidade é uma faculdade neutra, por meio da qual se comunicam bons como maus Espíritos, ocorrendo formosos ou aflitivos fenômenos de variado conteúdo.

MEDIUNIDADE RESPONSÁVEL

As dores que parecem acompanhar os médiuns que se afeiçoam ao trabalho do bem na Terra têm a sua origem em suas existências transatas, sem nenhum compromisso com a faculdade.

transato: passado

Caso não exercessem o ministério, os mesmos padecimentos os alcançariam, convocando-os à reparação dos delitos antes perpetrados, em razão da carência afetiva, que lhes não proporcionou a liberação que se dá mediante a ação da solidariedade, do amor, da caridade...

A mediunidade exercida com responsabilidade diminui o resgate daqueles que se encontram comprometidos com as Soberanas Leis, em razão das admiráveis contribuições de que se fazem portadores, atendendo os padecentes de ambas as esferas da vida: a material e a espiritual.

À semelhança de outras faculdades da alma, que o corpo reveste de células para atender aos objetivos a que se encontram vinculadas, não poucas vezes os seus portadores experimentam os desafios que fazem parte do seu programa evolutivo.

Aceita com naturalidade e de forma consciente, a mediunidade alarga os horizontes da percepção humana a respeito dos valores existenciais, contribuindo com elevação para a compreensão da imortalidade, dos objetivos da jornada física que devem ser realizados em clima de alegria e de gratidão a Deus.

Facultando a convivência lúcida com os desencarnados, proporciona tranquilidade em torno de todas as ocorrências do carreiro carnal, ensejando entendimento a respeito dos desafios e das dificuldades que se encontram nas experiências evolutivas, responsáveis pela conquista da plenitude, quando superados.

carreiro: caminho

Desse modo, o denominado *calvário dos médiuns* somente tem lugar quando esses, entregando-se ao ministério com abnegação, padecem as incompreensões que ocorrem sempre quando se apresentam as crises morais, prenunciadoras da transição para mais belas florações do ser humano e da sociedade.

calvário: tormento, martírio

Transformar a atividade num verdadeiro mediumato é o dever de todo aquele que se encontra convocado para exercitar a peregrina faculdade que lhe honra a existência.

mediumato: mediunato; missão mediúnica

Logicamente, transformando-se numa ponte entre as dimensões física e espiritual, desperta a animosidade dos Espíritos infelizes que se comprazem em gerar obstáculos ao progresso geral.

Nada obstante, o seu desempenho fiel e a sua abnegação no desiderato a que se entrega consegue a simpatia dos Espíritos nobres que passam a auxiliá-lo, inspirando-o em todos os lances da trajetória existencial.

desiderato: o que se deseja; aspiração

~

Nunca temas o mal!

No exercício saudável da mediunidade responsável, vincula-te ao compromisso de forma dinâmica, conscientizando-te do seu significado, assim como das benesses que podes auferir na execução da atividade iluminativa.

Procura estudar-te de maneira que possas aprofundar observações em torno de quem és, dos teus objetivos essenciais, das tuas reações em relação aos acontecimentos existenciais, a fim de te identificares com a própria realidade.

Mediante esse comportamento, perceberás as influências que procedem dos desencarnados, podendo filtrá-las e exteriorizá-las com fidelidade, sem conflitos internos.

Mergulha o pensamento no estudo da doutrina espírita, ampliando o conhecimento em torno das sábias orientações exaradas por Allan Kardec sob a condução dos guias da humanidade, especialmente contidas em *O livro dos médiuns*, de maneira que acalmes as ânsias do sentimento e as dúvidas da mente perquiridora.

exarar: registrar por escrito

perquiridor: que investiga

Considera o impositivo do serviço que deves realizar qual agricultor que, dispondo de uma enxada e do solo adusto, utiliza-a com vigor, tornando-a sempre reluzente e necessária, o que não ocorre quando deixada sem aplicação, sendo consumida pela oxidação e pela ferrugem.

adusto: queimado, abrasado

Todo o bem que faças, utilizando as energias mediúnicas, a ti mesmo fará um grande bem.

Não meças distâncias, nem relaciones obstáculos a enfrentar, quando convocado ao formoso labor socorrista, porquanto a qualidade da ação é resultado do empenho e da dedicação daquele que a executa.

labor: trabalho

Quanto mais te afeiçoes à lavoura da caridade, mais amplos horizontes se te surgirão, auxiliando-te na marcha ascensional.

Mediunidade sem serviço é orquídea bela e inútil, com finalidade apenas decorativa. Quando colocada em favor da caridade é grão de trigo que se transforma em pão nutriente que sustenta muita vidas...

Desse modo, mediunidade com Jesus é também cruz de elevação que alça ao infinito e liberta do cárcere das limitações.

Quanto mais trabalhes a faculdade, mais eficazes se farão os resultados que pretendes atingir.

Quem veja o diamante reluzente como uma estrela não se lembrará do carvão escuro conforme se apresentava antes da extração e lapidação.

De igual maneira, a dor e o testemunho, na mediunidade responsável, representam os abençoados instrumentos que lapidam a gema que dorme embaixo da escura camada que a envolve...

> gema: pedra preciosa

Quanto mais sejam as aflições, mais compensadores serão os resultados da tua dedicação ao ministério mediúnico.

Não te queixes, portanto, quando convidado aos caminhos silenciosos da renúncia e do sofrimento de que necessitas para reabilitar-te.

> exultar: experimentar e exprimir grande alegria

Exulta ante a oportunidade iluminativa e faze-te exemplo de coragem para os demais, portadores de frágeis resistências morais.

Não reclames das ocorrências dolorosas, antes agradece-as, porque te chegam diminuídas de intensidade como efeito dos novos tesouros que estás conquistando.

Mediunidade é bênção. Frui-a com alegria, ajudando sempre.

A existência terrena não constitui um passeio ao país da fantasia, embora muitos desavisados assim a considerem.

Assume a responsabilidade de viver dentro dos padrões educativos propostos pelas leis da evolução, colhendo os opimos frutos da harmonia e do bem-estar.

> opimo: de grande valor, excelente

Honrado pela oportunidade de ser operário mediúnico na seara de Jesus, trabalha para corresponderes à expectativa, permanecendo fiel até o fim da jornada, sem angústia nem aflição.

A EXISTÊNCIA TERRENA NÃO CONSTITUI UM PASSEIO AO PAÍS DA FANTASIA, EMBORA MUITOS DESAVISADOS ASSIM A CONSIDEREM. ASSUME A RESPONSABILIDADE DE VIVER DENTRO DOS PADRÕES EDUCATIVOS PROPOSTOS PELAS LEIS DA EVOLUÇÃO, COLHENDO OS OPIMOS FRUTOS DA HARMONIA E DO BEM-ESTAR.

No momento, quando as conquistas libertadoras da inteligência alcançam elevados índices de superior tecnologia e de grandiosa compreensão científica em torno da vida e das suas complexidades, assim como do macro e do microcosmo, os desvarios da emoção fazem-se assinalar por angústias devastadoras nas existências vazias de significado.

Paradoxalmente, nunca houve tanto conforto, assim como tantas concessões ao prazer, ao poder, ao trabalho e ao repouso, à alimentação bem balanceada, aos relacionamentos sexuais, às comunicações e recreação, apresentando-se, simultaneamente, aflições incontáveis, desaires graves, transtornos de comportamento, alienações mentais que se expressam de maneira sutil ou vigorosa, ceifando a alegria e o encantamento das criaturas humanas.

paradoxalmente: de forma contraditória

desaire: ato vergonhoso; desdouro

PANDEMIA DEPRESSIVA

Qual morbo invisível, uma onda volumosa de desespero, silencioso em uns momentos e noutros gritante, toma conta da sociedade terrestre, dizimando as belas florações da esperança e atirando as pessoas desavisadas aos fundos poços do desinteresse pela vida e pelas lutas renovadoras...

A aquisição de tudo quanto parece constituir meta, vitória existencial, subitamente cede lugar ao tédio, ao amolentamento da vontade, ao desânimo, com indiscutíveis prejuízos para a sociedade.

A princípio, apresenta-se em forma de tristeza pertinaz que se faz acompanhar por um séquito de ferrenhos adversários da paz, exaltando as emoções ou amortecendo-as, anulando os interesses pela permanência dos objetivos essenciais, dando lugar à melancolia que se instala, perniciosa, convertendo-se em grave depressão.

pandemia: enfermidade epidêmica amplamente disseminada

morbo: enfermidade, moléstia

amolentamento: enfraquecimento; ato de perder a força, o vigor

O ser humano deve alcançar os patamares superiores do conhecimento e do amor, vivenciando a sabedoria, numa síntese harmônica de conquistas da inteligência e do sentimento.

Nada obstante, as aspirações exageradas e a movimentação contínua resultam em ansiedade, desgastando as energias nervosas, dando lugar ao desfalecimento das forças, fragilizando o indivíduo.

De certo modo, as ocorrências psicossociais, tais como a desintegração da família, a perda das tradições, a solidão no grupo social volumoso, contribuem para o aumento dos distúrbios da emoção e de transtornos psíquicos mais severos. Embora esses fatores também ocorram nas famílias ajustadas, nos grupos harmônicos, nas sociedades equilibradas, mais se manifestam quando esses valores são desprezados.

Inegavelmente, o ser humano encontra-se enfermo, às vezes em transitório estado de bem-estar que cede lugar a sucessivos desequilíbrios, quando surgem ocorrências predisponentes ou preponderantes para o surgimento das distonias...

Sem desconsiderarmos as causas endógenas, que são propiciadas pelo Espírito desde o momento da sua reencarnação, aquelas exógenas como as perdas, o medo, as acima referidas facultam abrir-se o leque imenso da psicopatologia depressiva nefasta.

As estatísticas alarmantes dos suicídios encontram a sua gênese, quase sempre, na depressão, desencadeada por circunstâncias aleatórias...

Sem objetivos bem delineados e sem segurança íntima que proporcionam o equilíbrio real, o ser humano desfalece e deixa-se arrastar pela *virose* perversa e destrutiva.

A depressão é doença do espírito, e no espírito deve ser tratada.

~

O mergulho na depressão, no entanto, não tem como finalidade essencial vivenciar-se apenas a dor, o sofrimento, mas proporcionar-se o encontro do ser com ele mesmo.

---

distonia: doença do sistema nervoso; distúrbio do movimento caracterizado por contrações musculares involuntárias, lentas e repetitivas

endógeno: que se origina no interior

exógeno: que provém do exterior

psicopatologia: doença mental

Depressão significa *puxar para baixo*, obrigando o Espírito a refugiar-se nas reflexões internas, a refazer observações, a percorrer novos caminhos.

Convidado o ser humano para as conquistas externas, quase todas as suas aspirações cingem-se ao ter, ao adquirir, ao aparecer... É nesse momento que ocorre o fenômeno da melancolia, em razão do vazio que as conquistas externas proporcionam ao ser interior, que não se sente preenchido de objetivos reais, sendo conduzido à meditação profunda, de cujo abismo poderá sair renovado e feliz.

cingir: limitar

Todo aquele que atravessa essa fase natural da existência física, mantendo-se lúcido e resolvido a esquadrinhar o abismo das reflexões melancólicas, consegue superar as sombras densas e alcança a claridade do dia de paz e de alegria de viver.

Lamentavelmente, o enfermo entrega-se à lamúria e ao autoabandono, passando a cultivar a autocompaixão e a revolta em relação aos demais que tem em conta de saudáveis, considerando-os imerecidamente privilegiados.

Permitindo-se a autocomiseração, pensa apenas em fugir, desistindo da luta, em razão dos conflitos que o assenhoreiam e do desencanto que o domina.

A vida impõe esforços que devem ser aplicados a benefício das conquistas desafiadoras, que aguardam aqueles que as desejam alcançar.

Quem se detém na marcha, assinalando dificuldades, ou se recusa à tenacidade do trabalho, perde-se pelo caminho da evolução.

tenacidade: firmeza

Aplicar o tempo no pessimismo, nas conjecturas deprimentes, é maneira de ampliar o quadro de angústia, malbaratando a oportunidade de libertar-se da injunção penosa em que transita.

conjectura: suposição

Todos os indivíduos experimentam dificuldades e lutas, sofrem tristezas e desencantos, negando-se alguns a permanecer nesse estado de aflição injustificável.

malbaratar: desperdiçar

Quando ocorre a aceitação passiva da dificuldade e a submissão aos fenômenos internos afligentes, o enfermo necessita de

injunção: pressão, imposição

assistência médica, não apenas de natureza psiquiátrica, mas também de auxílio psicológico, a fim de sair da modorra, de arrebentar as algemas constritoras da emoção enfermiça...

A depressão pode ser superada, caso o paciente opte pela luta e a ela entregue-se com afinco.

A concentração mental nos ideais do bem lentamente preenche o vazio existencial, estimulando os neurônios às sinapses, restabelecendo o ritmo e a produção dos neuropeptídios responsáveis pela alegria e dinâmica da existência.

Nesse comenos, a oração deve ser transformada em hábito de reflexão, utilizando-a com frequência, de modo que possa sintonizar com as fontes do bem, de onde procedem as energias saudáveis, renovadoras.

Qualquer atividade, mesmo que constituindo um grande esforço, levando à transpiração, constitui também eficiente procedimento terapêutico, ao lado dos exercícios físicos, tais a ginástica, a natação, as caminhadas...

Indispensável se torna que o enfermo realize a parte que lhe diz respeito, desse modo cooperando para o próprio restabelecimento.

Na raiz do transtorno depressivo, existe sempre uma psicogênese de natureza espiritual de caráter obsessivo, resultante da infeliz conduta anterior da atual vítima, razão pela qual as psicoterapias do amor, da prece, da caridade, da paciência e da resignação tornam-se indispensáveis.

~

Quando sintas o desânimo agravar-se no teu currículo de ações; quando fores vítima de contínuos episódios de insônia com pensamentos conflitivos; quando experimentes indiferença afetiva em relação às pessoas queridas; quando o mau humor em forma de distimia passe a caracterizar-te; quando a indisposição para qualquer atividade tornar-se frequente; quando a irritação ou o desejo de isolamento social comecem a dominar-te, tem cuidado, pois que estás em processo depressivo.

Atenta para a renovação interior, busca o auxílio espiritual e o especializado, não te afastando do Psicoterapeuta sublime, porque estás caminhando pela *noite escura*, a que se refere São João da Cruz...

Liberta-te da sombra morbosa e inunda-te da luz do sol da alegria, rumando na direção da saúde que te aguarda.

Nasceste para conquistar o infinito, e isso depende exclusivamente de ti.

morboso: doentio, enfermo, mórbido

> LIBERTA-TE DA SOMBRA MORBOSA E INUNDA-TE DA LUZ DO SOL DA ALEGRIA, RUMANDO NA DIREÇÃO DA SAÚDE QUE TE AGUARDA. NASCESTE PARA CONQUISTAR O INFINITO, E ISSO DEPENDE EXCLUSIVAMENTE DE TI.

9

À MEDIDA QUE SURGIRAM AS PRIMEIRAS CONQUISTAS TECNOLÓgicas, em decorrência do processo evolutivo e das avançadas aquisições científicas, temeu-se que os relevantes serviços apresentados viessem destruir a ingenuidade, a comunicação fraternal, a amizade, os valores morais entre as pessoas, dando lugar à mecanização da vida humana.

Durante o século xx, no qual as admiráveis invenções tecnológicas alteraram totalmente a sociedade, as máquinas foram substituindo os seres humanos em inúmeros setores de atividades, com resultados excelentes, infelizmente dando lugar ao desemprego de grande massa de trabalhadores, diminuindo-lhes a autoestima.

Nesse capítulo, a robótica tornou-se terrível adversário de milhões de pessoas que foram dispensadas dos seus estafantes serviços, produzindo mais intensamente, sem nenhum descanso, e

robótica: ciência e técnica da concepção, construção e utilização de robôs

TECNOLOGIA e RESPONSABILIDADE

aumentando a renda das empresas, que se libertaram de muitas responsabilidades para com os seus servidores, agora atirados praticamente ao abandono.

Por outro lado, a comunicação virtual vem facultando um infinito elenco de oportunidades para ampliar-se o conhecimento, para adquirirem-se recursos fabulosos, para encontrar-se orientação para muitos males, para proporcionar divertimento, alegria e intercâmbio rápido de ideias... Nada obstante, o mesmo veículo tem sido utilizado de maneira perversa, por pessoas destituídas de sentimentos éticos, de dignidade, psicopatas graves abrindo as comportas das suas paixões servis e desencaminhando pessoas inexperientes mediante intercâmbio devasso, corruptor, mentiroso, abrindo as comportas para inumeráveis crimes que vêm sendo catalogados por especialistas preocupados com a verdadeira

> pandemia: enfermidade epidêmica amplamente disseminada
>
> anorexia: falta ou perda de apetite
>
> bulimia: distúrbio do apetite com episódios incontroláveis em que se ingere uma quantidade excessiva de alimento, seguidos por processos radicais para que não ocorra o consequente ganho de peso
>
> hacker: termo vulgarizado para denominar o especialista em informática que usa seu conhecimento para interesses ilícitos; contudo, dentro do meio computacional, hacker tem uma acepção positiva, identificando um perito; nessa área, quem pratica atividades ilegais, usando do seu grande conhecimento, é chamado cracker
>
> bólide: corpo que se desloca em grande velocidade

pandemia de pedófilos, de depressivos que se permitem o suicídio, a anorexia, a bulimia, exteriorizando conflitos perturbadores que são assimilados por outros indivíduos insensatos. Pessoas inescrupulosas, denominadas *hackers* penetram os segredos de entidades militares e bancárias, assim como de outras pessoas, produzindo prejuízos incalculáveis, ao mesmo tempo que se utilizam de senhas e números de cartões de crédito ou de débito, infernizando a vida dos seus legítimos possuidores.

Simultaneamente, diminuiu as distâncias, facilitou a comunicação entre as criaturas que se encontram geograficamente separadas por milhares de quilômetros, facultando as grandiosas experiências com satélites artificiais e bólides outras que sondam os espaços siderais, estudando os fenômenos cósmicos, a origem da vida e do universo.

Sem a tecnologia, conforme se apresenta, o processo de crescimento da sociedade e da evolução da Terra estaria nos limites medievais, na estreiteza da ignorância, lamentavelmente em fase de estagnação.

O problema, portanto, não é da valiosa tecnologia de ponta, mas da criatura humana, em si mesma, que a pode utilizar para salvar milhões de vidas, assim como para disparar *armas inteligentes* que as ceifariam aos milhares de uma só vez.

Enquanto não haja correspondente desenvolvimento ético-moral, enfrentar-se-ão graves mutilações nas estruturas da sociedade, com os danos advindos do mau uso desse valioso instrumento que não pode ficar ignorado.

Para onde se volte, o ser humano na atualidade defrontará as notáveis conquistas tecnológicas, facilitando-lhe a existência ou, infelizmente, criando-lhe situações lamentáveis.

⁓

Antes dos incomparáveis inventos tecnológicos, a ignorância predominava nos grupamentos humanos, o isolamento da sociedade era desafiador, as viagens muito difíceis e perigosas, as epidemias dizimavam periodicamente grande parte da humanidade, a escuridão predominava em toda parte, a higiene era relegada a plano secundário, o desconhecimento dos recursos de preservação da vida era vasto e a superstição dominava até mesmo os recintos acadêmicos...

À medida que se pôde penetrar na interpretação da eletricidade e domá-la, canalizando-a para fins úteis, houve uma nova *descoberta do fogo*, assim como a identificação da flora e da fauna microbiana, com os seus poderosos recursos de manutenção e destruição da vida, é como se novamente houvesse sido inventada a roda...

De conquista em conquista, os desafios que sombreavam a cultura e ameaçavam a existência dos seres vegetais, animais e humanos, cederam lugar à compreensão dos grandiosos dons da vida, facultando o seu prolongamento, a diminuição das dores, a alegria de viver, as bênçãos do intercâmbio e as facilidades para as viagens prolongadas. O rádio, o cinema, a televisão motivaram milhões de pessoas a se tornarem mais saudáveis e sensíveis à beleza, que deixava de pertencer às classes privilegiadas para alcançar número incontável de cidadãos, contribuindo para o seu processo de evolução.

A educação ampliou infinitamente, em relação ao passado, as possibilidades de melhorar a cultura e os valores de enobrecimento, favorecendo a conquista dos *direitos humanos*, embora ainda pouco respeitados, enquanto as possibilidades de crescimento intelectual tornaram-se indiscutíveis.

Com o advento da informática, da robótica, da computação, o mundo diminuiu o seu volume e a humanidade passou a viver em contínuo contato virtual com as mais distantes nações, comunicando-se e negociando com facilidade imensa, sem o risco das grandes viagens, nem o perigo dos desastres...

É imensa a lista das vantagens defluentes da ciência e da tecnologia a serviço da sociedade terrestre.

Simultaneamente, porém, à medida que a ignorância e a

superstição cederam lugar após os conhecimentos avançados, surgiram novos mitos, filhos das paixões desportivas, do erotismo, da música perturbadora, do excesso de informação que a mente não consegue decodificar nem os sentimentos absorver.

Diferente solidão, a psicológica substituiu a anterior decorrente das distâncias geográficas, a perda dos contatos pessoais, o medo do futuro, que se apresenta ameaçador, como se as máquinas viessem substituir os seres humanos, a violência arrebata milhões de criaturas desajustadas, os crimes hediondos permanecem, novas epidemias surgem, embora controladas com rapidez, os suicídios apresentam índices alarmantes, o suborno, a difamação e a crueldade dão-se as mãos em espetáculos de horror, que surpreendem e desencantam os futurólogos sonhadores e programadores do mundo de felicidade material...

O paradoxo do século atual está no choque entre as inescrutáveis conquistas dessas duas vertentes do conhecimento que são a ciência e a tecnologia, em relação aos sentimentos humanos desgastados pelo impositivo dos instrumentos de uso, cada vez mais complexos, que isolam e atiram ao esquecimento as gerações anteriores que sofrem dificuldade em atualizar-se...

Lentamente a *perda do sentido existencial*, pelo tudo já realizado e concluído, vai instalando-se em muitos comportamentos que derrapam na indiferença pela vida, na depressão, na revolta surda contra aqueles que se apresentam felizes e fazem crer que são triunfadores...

Há, portanto, um imenso contraste entre os seres humanos, dividindo-os naqueles que tudo possuem e noutros que apenas olham e não dispõem das mesmas possibilidades.

As gloriosas conquistas da inteligência, respeitáveis e valiosas, ainda carecem das aquisições morais, a fim de tornarem o ser humano realmente ditoso e pleno, o que certamente ocorrerá, embora ainda não haja sucedido...

---

hediondo: pavoroso, repulsivo

paradoxo: contradição

inescrutável: incompreensível, insondável

ditoso: feliz

Ao evangelho de Jesus, desvestido das indumentárias luxuosas e equivocadas com que o sombrearam através dos séculos, cabe a tarefa de oferecer o amor como solução para os graves problemas que aturdem e desorientam as massas.

Administradas as notáveis conquistas da inteligência pela suavidade dos sentimentos enobrecidos, que a todas as criaturas unirá como irmãs, as lições insubstituíveis do *Sermão da montanha* preencherão o *vazio existencial* e reunirão os seres humanos numa grande família, apesar das suas diferenças compreensíveis, dando lugar ao *mundo de regeneração* que se aproxima.

Respeitando, desse modo, os incomparáveis tesouros da ciência e da tecnologia, aguardamos a ocorrência dos valores sublimes do amor, gerando a bioética que preserva a vida em qualquer circunstância e a torna mais digna de ser exercida.

bioética: estudo dos problemas e implicações morais despertados pelas pesquisas científicas em biologia e medicina

> AS GLORIOSAS CONQUISTAS DA INTELIGÊNCIA, RESPEITÁVEIS E VALIOSAS, AINDA CARECEM DAS AQUISIÇÕES MORAIS, A FIM DE TORNAREM O SER HUMANO REALMENTE DITOSO E PLENO, O QUE CERTAMENTE OCORRERÁ, EMBORA AINDA NÃO HAJA SUCEDIDO...

10

A EXISTÊNCIA HUMANA TEM COMO OBJETIVO ESSENCIAL A CONquista dos valores que se encontram adormecidos no cerne do Espírito.

A tarefa inadiável consiste em buscar o sentido da vida e aplicá-lo de maneira consciente, de forma que as lutas contribuam eficazmente para a autorrealização.

Invariavelmente, em face da educação tradicional, acredita-se que a conquista da felicidade é o máximo a que se deve aspirar durante o périplo reencarnacionista. Felicidade, como sendo o prazer de possuir e de desfrutar, de alcançar o triunfo pessoal, que se traduz em forma de alto relevo, poder de qualquer espécie em algum dos vários segmentos sociais, políticos, religiosos, artísticos, culturais, causando inveja e despertando competição.

périplo: viagem de longa duração

O SIGNIFICADO EXISTENCIAL

A própria transitoriedade da organização física demonstra a vacuidade dessas aspirações, considerando-se que, na incerteza da manutenção do equilíbrio sem fim do corpo, a cada momento se experimentam as alterações defluentes do passar do tempo, portanto do seu uso, das enfermidades e dos conflitos existenciais, dos choques nos relacionamentos pessoais e afetivos, dando lugar a mudanças bruscas de comportamento.

vacuidade: ausência de valor

Nem todos aqueles que possuem os recursos que projetam o indivíduo no ambiente em que se movimentam podem ser considerados como plenos ou felizes no seu sentido mais amplo.

Alegrias momentâneas, vaidades atendidas, emoções formosas experimentadas, que logo dão lugar a outros anseios e buscas por mais prazer, agradam os afortunados, mas não lhes preenchem o vazio existencial, a carência de afeto, ou diminui-lhes o medo das perdas de tudo aquilo que lhes constitui segurança, quando não das heranças emocionais perturbadoras de vidas passadas...

Vemo-los transitar em triunfo nos veículos da moda, provocando empatia e inveja naqueles que *estorcegam* nas dificuldades de toda espécie, não raro escondendo tormentos variados que os afligem, conduzindo-os às fugas espetaculares por intermédio da drogadição, do alcoolismo, do sexo em excesso, do exibicionismo que os acalmam apenas momentaneamente...

> estorcegar: contorcer-se

Fixados às ilusões do ter e do poder, permitem-se a atrofia dos sentimentos, mantendo-se distantes dos ideais da solidariedade e da beneficência em relação ao seu próximo, negando-se as oportunidades de despertamento para a realidade de que se constituem, na condição de seres imortais que, demandando o túmulo, despertarão além das cinzas e do pó, continuando, porém, na vida...

Marcados por fortes traumas de que não se conseguem evadir, tornam-se obstinados nos seus pontos de vista, nas conquistas materiais, acreditando-se ou fingindo acreditar na invencibilidade de que gostariam desfrutar.

Nada obstante, vão sendo consumidos pelos *anelos* frustrados, pela ansiedade exagerada, pela solidão, porque identificam as companhias que os cercam, aparentando amizade, mais interessadas, porém, no que têm, em relação ao que são...

> anelo: desejo intenso

Fugaz é o tempo quando não utilizado de maneira lúcida em torno dos valores *transcendentais*.

> fugaz: passageiro, transitório

Num retrospecto, identificar-se-ão mais as dificuldades e as dores, as lutas e os desencantos do que as bênçãos que, afinal, devem constituir-lhe a essência.

> transcendental: superior, sublime; que excede a natureza física

~

Quando são colocados os ideais na busca do ser profundo, em vez do tormento das aquisições materiais, algumas, sem dúvida, necessárias para uma existência harmônica, pacífica, a existência física adquire real significado, porquanto as questões secundárias, atendidas com o respeito que merecem, não perturbam o esforço para a real iluminação.

Por mais distantes pareçam as metas profissionais, culturais, sociais, econômicas, quando são alcançadas, após as alegrias iniciais, facultam frustração e ampliam o quadro de outras ambições que se caracterizam por perturbadora ansiedade de alcançar novos patamares, transferindo-se dos níveis conseguidos para outros absurdos... Tornam-se equivalentes à água do mar, que ao ser sorvida não aplaca a sede, dando lugar a mais necessidade em razão de ser salobra...

Para que o indivíduo descubra o significado existencial que lhe diz respeito, é indispensável que se permita a reflexão, o hábito saudável da concentração e da prece, criando condições propiciatórias à viagem interior, onde se encontram registrados os prejuízos e as conquistas morais da longa viagem evolutiva...

O Espírito que se é tem a destinação do infinito, porquanto a sua jornada evolutiva nunca cessa, alcançando sempre estágios de realizações morais cada vez mais compensadoras e atraentes. Semelha-se ao conhecimento que se torna mais rico de interrogações, quanto mais se penetram os segredos que se ocultam em todas as coisas.

O indivíduo néscio contenta-se com os fenômenos fisiológicos, tais como a alimentação, o repouso, o sexo, sem as aspirações que tipificam as inteligências lúcidas e os sentimentos bem cuidados.

néscio: ignorante

O sentido psicológico do ser existencial é o desbravar das paisagens por enquanto inacessíveis da sua realidade espiritual, estabelecendo programas de comportamento para melhor entender-se, superando as *más inclinações* que remanescem de reencarnações transatas.

transato: passado

Todo processo de crescimento intelecto-moral pode ser comparado a um parto natural, apresentando dores, mesmo quando tudo transcorre da melhor maneira possível. A mudança de uma para outra conduta relevante gera momentâneo sofrimento logo sucedido por imensa alegria de identificação com a vida.

Enquanto alguém se compraz com o já conseguido, cessa de evoluir e de aprimorar-se, contentando-se com o pouco adquirido que o leva inevitavelmente ao tédio, à perda do sentido existencial.

Não seja de estranhar que pessoas aparentemente triunfadoras recorram às drogas ou evitem o contato social, após os esforços ingentes para chegarem aos índices elevados da bajulação das massas e dos respectivos fãs... Evitam-nos, cercando-se de guarda-costas, de equipes bem treinadas de hábeis funcionários que despistam os seus adoradores de momento, porquanto, ao se suporem no auge, não poucas vezes são substituídos por outros mais extravagantes e poderosos, tombando no abandono... Quando isso ocorre, afligem-se e buscam recuperar os antigos áulicos, utilizando-se das técnicas vigentes de mercado, que já não funcionam, derrapando na melancolia, no ressentimento, na decadência dourada uns ou na miséria econômica e moral outros...

O significado existencial promove os valores íntimos da alegria de viver, facultando contínuas motivações para permanecer nos ideais abraçados, sem queixas nem lamentações, sem desencantos nem arroubos infantis...

Consciente da própria responsabilidade, o indivíduo compreende que todas as circunstâncias com que se depara fazem parte do programa a que se encontra vinculado, sabendo administrar as boas como aquelas que parecem afligentes.

∼

Jesus foi enfático ao abordar psicologicamente o significado existencial, propondo: — *Buscai primeiro o reino dos Céus e sua justiça, e tudo mais vos será acrescentado*, deixando claro que a consumpção do corpo pelo fenômeno biológico da morte é inevitável, restando ao ser espiritual prosseguir na marcha pelos infinitos caminhos da imortalidade.

∼

ingente: enorme

áulico: cortesão, bajulador

consumpção: destruição

PARA QUE O INDIVÍDUO
DESCUBRA O SIGNIFICADO
EXISTENCIAL QUE LHE DIZ
RESPEITO, É INDISPENSÁVEL
QUE SE PERMITA A REFLEXÃO,
O HÁBITO SAUDÁVEL
DA CONCENTRAÇÃO
E DA PRECE, CRIANDO
CONDIÇÕES PROPICIATÓRIAS
À VIAGEM INTERIOR,
ONDE SE ENCONTRAM
REGISTRADOS OS PREJUÍZOS
E AS CONQUISTAS MORAIS DA
LONGA VIAGEM EVOLUTIVA...

11

atavismo: herança de caracteres de existências anteriores

labor: trabalho

ENCONTRADO O SIGNIFICADO EXISTENCIAL, O ESPÍRITO ENCARnado descobre que a sua jornada objetiva produzir-lhe o sublime ensejo da iluminação interior, libertando-se da treva da ignorância, assim como dos atavismos que o retêm no primarismo defluente do processo da evolução.

Empreendido o esforço do autoencontro, inunda-se de inefável alegria por descobrir o maravilhoso mundo de bênçãos que lhe está ao alcance, bastando-lhe iniciar o labor de identificar as possibilidades de que dispõe e executá-las.

A vida é um hino de louvor ao Pai Criador, que faculta aos Seus filhos os dons da imortalidade e da relativa perfeição que lhes cabe alcançar a esforço pessoal.

Eis porque a finalidade precípua da religião é estabelecer o vínculo de nova união profunda entre a criatura e o seu Genitor

VIVER com ALEGRIA

Celeste, facultando-lhe o desenvolvimento dos atributos adormecidos que o sol da verdade faz germinar e proporciona os recursos hábeis para o seu desenvolvimento.

Iniciado esse especial empreendimento, nada mais o detém, porque, a cada instante, defronta novos painéis a serem contemplados e incorporados ao patrimônio já acumulado.

Se as lutas se fazem mais ásperas em razão da sensibilidade mais desenvolvida ou porque as condições ambientais já não lhe são mais favoráveis, nelas encontra estímulos para treinar paciência e compaixão, proporcionando os meios eficazes para produzir as alterações necessárias, sem enfastiar-se nem perturbar-se.

Lúcido quanto aos desafios que são próprios nas áreas por onde se movimenta, melhor entende o seu próximo, as suas aflições e agressividade, equipando-se de mais amor, embora não

enfastiar: entediar, enfadar

concordando com os seus excessos, ao tempo que mais se esforça por oferecer-lhe os instrumentos próprios para a libertação das heranças que o atormentam.

Compreende que a inferioridade moral é chaga predominante em a natureza humana, por carregá-la cicatrizada com o bálsamo da dignidade que se soube aplicar enquanto transitava nos vales sombrios dos tormentos psicológicos.

<small>bálsamo: consolo, alívio</small>

Um halo de gentileza e bondade envolve-o, mantendo-o pacífico e pacificador em qualquer situação, mesmo nas mais penosas, estampando na face a alegria da vida, que a todos igualmente oferece os meios que levam à plenitude.

A alegria é tesouro da vida que deve ser buscada e vivenciada, em razão das bênçãos que proporciona. Isso, porém, não quer dizer que não ocorram momentos de preocupação, de tristeza, de ansiedade e de receio, perfeitamente naturais no comportamento saudável que, em vez de uma linha horizontal, possui os seus ascendentes e descendentes emocionais, dentro, no entanto, dos padrões de equilíbrio.

<small>bulhento: que faz muito ruído</small>

O ser alegre é extrovertido sem ser bulhento, é confiante sem permitir-se leviandades, é bondoso embora sabendo o que deve e pode realizar em relação a tudo quanto pode mas não deve fazer, ou deve executar mas não o pode, porque não lhe é lícito.

Esse discernimento é filho da razão e da consciência do dever que lhe propõe o vir a ser, em lugar de o deter nas evocações do passado, onde encontra justificativas para a conduta irregular.

Estabelecido o compromisso com o futuro feliz, é grato a Deus por todas as concessões e esparze alegria e respeito onde se encontre.

~

<small>introverter: voltar-se para dentro</small>

Quando o indivíduo introverte os sentimentos e deixa-se vencer pela carranca, os conflitos que o aturdem dificultam-lhe o discernimento em torno dos valores legítimos da existência. Invariavelmente tornam-no amargo, pessimista ou agressivo, não poucas vezes dando lugar ao transtorno da distimia, a que se entrega inerme.

O renascimento do Espírito no corpo tem por sentido profundo a superação das marcas do passado, devendo esforçar-se por substituir os tormentos íntimos pelas contribuições da saúde emocional e da alegria de viver.

Dar-se conta de que possui um corpo com as suas funções em plena execução, salvadas as exceções daqueles que estorcegam nas expiações de que necessitam, deve inicialmente proporcionar um grande bem-estar.

Poder ver-se sem maiores problemas nos órgãos dos sentidos, enquanto outros experimentam inibições e limitações que se esforçam por superar, já é uma suprema dádiva que merece gratidão e júbilo.

Nada obstante, em razão do temperamento hostil, em tudo vê amargura, sempre reclamando, quando poderia modificar a óptica pela qual observa a vida, colorindo os tons cinza com o arco-íris da alegria.

Cegos que se notabilizaram como Hellen Keller, que adicionava a surdez e a mudez aos seus limites orgânicos, superando-os e tornando-se um exemplo de pessoa alegre, saudável e grata à vida; como Braille, que se utilizou do limite da cegueira para criar o alfabeto que permite aos invidentes a comunicação; como Pasteur, sofrendo tuberculose e laborando em favor da saúde na caça contínua à vida bacteriana; como Steinmetz, o inolvidável químico alemão, que necessitava de um banquinho para alcançar as mesas onde se encontravam as provetas de pesquisas; como Beethoven, surdo, compondo a *Nona sinfonia*, assim como outros heróis do sofrimento, que o souberam converter em incomparável oportunidade de proporcionar o bem e a harmonia ao próximo, enquanto eles mesmos vivenciavam a alegria de construir o futuro melhor para a humanidade...

---

distimia: constante sentimento de negatividade, falta de prazer

inerme: indefeso

estorcegar: contorcer-se

invidente: cego

laborar: trabalhar

proveta: tubo de ensaio

Abençoa, desse modo, as oportunidades de que desfrutas para viveres o dom da alegria, qual informava o apóstolo Paulo que era sempre o mesmo, na alegria ou na dificuldade, no júbilo ou no sofrimento, porque encontrara Jesus.

Se, por acaso, ainda não encontraste Jesus, qual ocorreu a Francisco de Assis que, depois de o haver (re)conhecido, tornou-se *o Irmão Alegria*, busca-o na reflexão profunda ou mergulha na oração destituída de atavios, abrindo-te à magia desse *Homem Incomparável* que dividiu a história da humanidade, e a tua existência adquirirá sentido e significado.

<small>atavio: ornamento</small>

Ninguém que seja saudável pode viver sem o contributo especial da alegria, que é um hino de louvor à vida e ao universo.

<small>contributo: contribuição</small>

A alegria renova as paisagens interiores e pode ser encontrada nas coisas mínimas, desde o desabrochar de singela flor do campo aos cromos outros da natureza, do melodioso canto das aves ao baile cósmico dos astros...

<small>cromo: cor</small>

Se observares tudo quanto sucede em tua volta, encontrarás a ordem, o equilíbrio, a beleza, mesmo na decomposição da matéria que passa por transformações necessárias ao surgimento de formas novas e manutenção do que existe.

A alegria de viver é a maneira adequada de agradecer a Deus a bênção da reencarnação.

Não te permitas, em circunstância nenhuma, o abismo da revolta geradora da tristeza e da melancolia de longo e pernicioso curso.

Exulta de alegria, e entrega-te a Deus, cantando-Lhe um hino de louvor.

<small>exultar: experimentar e exprimir grande júbilo</small>

~

Quando Jesus se acercou das criaturas humanas trazendo a mensagem de libertação de consciência e exaltando a imortalidade do Espírito, ofereceu o seu evangelho, explicitando:

> O Espírito do Senhor está sobre mim, porquanto me ungiu para anunciar boas novas aos pobres; enviou-me para proclamar a libertação aos cativos, restauração da vista aos cegos, e para pôr em liberdade os oprimidos [...] (Lc, 4:18)

ungir: sagrar; investir de autoridade

    A sua foi, portanto, a mensagem da total alegria de uma vida saudável e rica de bênçãos.

    Permite, dessa forma, que ele te liberte da opressão da ignorância, facultando-te a alegria da felicidade.

> A ALEGRIA É TESOURO DA VIDA. O SER ALEGRE É EXTROVERTIDO SEM SER BULHENTO, É CONFIANTE SEM PERMITIR-SE LEVIANDADES, É BONDOSO EMBORA SABENDO O QUE DEVE E PODE REALIZAR EM RELAÇÃO A TUDO QUANTO PODE MAS NÃO DEVE FAZER, OU DEVE EXECUTAR MAS NÃO O PODE, PORQUE NÃO LHE É LÍCITO.

12

desassisado: desvairado; que não tem juízo

A EXPRESSIVA MAIORIA DA SOCIEDADE ENCONTRA-SE DESASSISA-da, especialmente pela **falta de amor**.

Assevera-se que o amor não conseguiu sobreviver à época da ciência de pesquisas frias e da tecnologia, tornando-se uma vaga sensação de prazer, que se experimenta nos encontros momentâneos.

Informa-se, ainda, que a convivência consegue destruí-lo, produzindo a rotina, o desinteresse, sendo ideal, portanto, que os relacionamentos da afetividade ocorram sem a contínua convivência.

repasto: banquete

Como efeito, as pessoas que se dizem amar, residem em locais diferentes, encontrando-se, sem maiores responsabilidades para os prazeres do repasto, das festas, do teatro e do cinema, dos períodos de férias, sobretudo para a união sexual...

A experiência vivida por Jean Paul Sartre e Mme. Beauvoir, no século passado, *amando-se* e vivendo em residências separadas,

SENTIMENTOS e AFETIVIDADE

influenciou toda uma geração e ressurge com características especiais, ensejando relacionamentos sem maiores compromissos, nos quais os parceiros têm a sua própria vida, sua liberdade inalterada, mantendo fidelidade ao eleito.

Essa conduta leviana proporciona uma falsa existência de gozo, na qual a amizade enriquecedora, os diálogos recheados de experiências e de permutas de bondade desaparecem, dando lugar a encontros fortuitos somente para a preservação do egoísmo. Em consequência, o isolamento das criaturas faz-se cada dia mais volumoso, e as distâncias tornam-se mais difíceis de ser vencidas. A desconfiança substitui o prazer da companhia, a insensibilidade domina os sentimentos, e quando surgem os desafios, em forma de enfermidades, de conflitos, de problemas econômicos, o outro

fortuito: eventual

imediatamente desaparece, deixando ao abandono o ser com o qual se vinculava...

Dir-se-á que o mesmo ocorre nos relacionamentos convencionais, no matrimônio, na parceria no mesmo lar, o que não deixa de ser verdade, porém em número de vezes muito menor.

O prazer sensual, como é compreensível, desaparece logo depois de um período de experiências, dando lugar à busca erótica de novas sensações, especialmente para as pessoas sem formação moral equilibrada.

Isto porque, nessas relações, o amor verdadeiro é dispensável, não se tornando essencial para a perfeita identificação dos sentimentos.

O amor é uma emoção profunda que merece considerações especiais, caracterizando-se por valores significativos.

jaça: mácula

Ele inspira a amizade sem jaça, o apoio incondicional, o respeito contínuo, a dedicação integral, porque é fator de imensurável significado para a existência humana. Mesmo entre os animais, o instinto que se transforma em afetividade no processo da evolução é responsável pela preservação da prole e sua preparação para os enfrentamentos da sobrevivência.

prole: conjunto de filhos

lúdico: que visa mais ao divertimento

Pessoas imaturas, sonhadoras e fantasistas mantêm o sentimento de amor dentro do padrão lúdico, vivendo em busca da sua *alma gêmea*, a fim de completar-se, como se os indivíduos fossem metades aguardando a outra parte.

As almas nascem gêmeas nos sentimentos universais, nos ideais de engrandecimento, na grande família, na qual se destacam os Espíritos mais evoluídos, capazes dos gestos nobres da renúncia e da abnegação em favor daqueles a quem amam e, por extensão, por todas as criaturas...

anelar: desejar intensamente

Desejando-se a *alma gêmea*, intimamente anela-se por encontrar alguém disposto a servir e estando sempre presente nas necessidades, sem pensar-se na retribuição e nos cuidados que devem ser mantidos por sua vez.

Os sentimentos são conquistas valiosas do curso evolutivo, que se vão aprimorando pelas vivências, pelas longas reencarnações.

Viajando do instinto, aprimora-se e pode apresentar-se de formas variadas: a atração, que pode ser física, social, econômica, na qual o aspecto externo do outro exerce papel preponderante; a mental, que se expressa como de natureza intelectual, em razão da lucidez e da vivacidade que são detectadas noutrem; e, por fim, aquela de natureza espiritual, que transcende aos interesses imediatos, facultando bem-estar, alegria na convivência, sentimento de companheirismo.

As emoções, no entanto, estão sempre variando, não raro de acordo com as circunstâncias, as reações fisiológicas, transformando o sentimento de afeto em antipatia, após certo período de descobrimento da outra pessoa.

Essa ocorrência é comum quando o amor se manifesta numa das duas primeiras expressões a que nos referimos.

No sentimento profundo, mesmo havendo variação de emoções, o amor torna-se mais significativo, capaz de resistir e superar as alterações que venham a ocorrer.

Quando se manifestam as expressões do amor, quase sempre aqueles que não têm maturidade para a vivência expressiva do sentimento enobrecido logo pensam em adaptar-se àquele por quem se sentem atraídos, alterando a programação existencial.

O amor não necessita que ocorram mudanças de compromissos, antes, pelo contrário, é um dínamo de forças e dispensador de energias para que se levem adiante as tarefas abraçadas, impulsionando ao crescimento interior e ao desenvolvimento da sabedoria. *dínamo: gerador*

É compreensível que esse sentimento não atrele uma a outra pessoa, gerando dependência de qualquer matiz. Inversamente, liberta os que se envolvem, dando-lhes um encantamento especial que na esfera física se traduz como contínuas descargas de adrenalina invadindo a corrente sanguínea e proporcionando estímulos renovados. *matiz: nuança; gradação*

Por outro lado, estimula a produção equilibrada da dopamina, a denominada substância responsável pela alegria, dentre outras finalidades especiais, facultando júbilo, mesmo quando sem a presença física do ser amado.

É comum dizer-se que a distância esfria o amor, apaga-o. Essa ocorrência tem lugar quando é fruto do entusiasmo, da paixão, e arde como labareda que rapidamente consome...

O amor a outrem, desse modo, é também resultado do autoamor, quando o indivíduo se pode relacionar bem consigo, sustentando-se e possuindo as valiosas energias da saúde que pode esparzir.

> esparzir: disseminar, difundir

Normalmente, quando se fala em amor e se o confunde com sexo, o pensamento reveste-se do interesse de fruir-se, de utilizar-se do outro, de receber benefícios. E como o fenômeno é recíproco, a aparente união mantém dois solitários sob o mesmo sentimento, distantes dos benefícios que devem resultar quando a afeição é verdadeira.

Indispensável, portanto, nas tentativas de aprimorar-se os sentimentos e a afetividade, investir-se no autoaprimoramento, no esforço de tornar-se melhor, dessa maneira podendo ser feliz com aquele a quem se elege para companhia.

É necessário que o amor eleve aquele que se lhe entrega, e não constitua uma base para segurança pessoal, para fruição, porquanto sempre se recebe conforme se doa.

Se alguém espera receber, é frágil ou fragiliza-se, tornando o outro seu protetor, que também tem necessidade de beneficiar-se, e não encontrando esse concurso na pessoa com quem se relaciona, consciente ou inconscientemente parte em busca de outrem.

No enfraquecimento, as emoções inferiores aparecem e transtornam a afetividade.

Ama, portanto, deixando que os teus sentimentos nobres governem a tua existência, e poderás fruir os benefícios que defluem dessa conduta.

É NECESSÁRIO QUE O AMOR ELEVE AQUELE QUE SE LHE ENTREGA, E NÃO CONSTITUA UMA BASE PARA SEGURANÇA PESSOAL, PARA FRUIÇÃO, PORQUANTO SEMPRE SE RECEBE CONFORME SE DOA. AMA DEIXANDO QUE OS TEUS SENTIMENTOS NOBRES GOVERNEM A TUA EXISTÊNCIA, E PODERÁS FRUIR OS BENEFÍCIOS QUE DEFLUEM DESSA CONDUTA.

13

O TEMOR DA MORTE É RESULTADO DA IGNORÂNCIA A RESPEITO da vida.

Tradicionalmente renegada como sendo o fim, considerada como o momento de prestação de contas, normalmente apavorante, em razão do comportamento existencial durante a jornada terrestre, quase sempre reprochável, ou o aniquilamento da consciência, a morte transformou-se em hedionda realidade da qual, porém, ninguém consegue eximir-se.

Para morrer, basta encontrar-se vivo.

Em algumas culturas ancestrais e em diversas atuais, procura-se mascarar a morte, ora realizando-se cultos prolongados e afligentes, noutros momentos produzindo-se festas de libertação do corpo, ainda outras vezes promovendo-se cerimoniais, maquilando-se o cadáver para dar-lhe melhor aparência, como se

---

reprochável: censurável

hediondo: horrível; pavoroso, repulsivo

TEMOR da MORTE

isso fosse importante, com o objetivo de diminuir-se a dor do seu enfrentamento.

Quando se tem consciência do significado real da morte, na condição de *passaporte para a vida*, a alegria da imortalidade substitui a angústia do eterno adeus, ou da promessa do *juízo final*, ou ainda a respeito do *nunca mais*...

Se o corpo pudesse prolongar a sua permanência na Terra, como agradaria a alguns aficionados da ilusão, mas apenas temporariamente, como isso seria terrível para os portadores de enfermidades degenerativas, de distúrbios psicóticos profundos, de deformidades congênitas, de paralisias, de transtornos psicológicos destrutivos, da miséria social e econômica, das expiações em geral...

Para quem se compraz na fantasia da ignorância, pretendendo manter a eterna juventude, desfrutar dos esgotantes prazeres,

psicótico: que sofre de doença mental

congênito: nascido com o indivíduo

permanecer em foco onde quer que se encontre, seria aparentemente muito bom e compensador. No entanto, tudo quanto se faz repetitivo, num *continuum* demorado, corre o risco de tornar-se tedioso, de produzir o vazio existencial por falta de significado psicológico...

A Divindade, ao estabelecer os limites orgânicos, em razão das energias que vitalizam a matéria, proporciona tempo e oportunidade necessários para o desenvolvimento ético-moral e espiritual do espírito humano.

Mediante as existências sucessivas, adquirem-se os valores inalienáveis para a conquista do bem-estar, da harmonia, da individuação.

Com a sua constituição imortal, o Espírito progride e alcança os patamares superiores da vida, podendo fruir todas as bênçãos que se lhe encontram ao alcance.

A felicidade não é deste mundo – assevera o *Eclesiastes*, demonstrando que, sim, existe a plenitude, mas não a anelada pelo corpo físico no mundo material.

A consciência da sobrevivência à disjunção molecular proporciona real alegria de viver e de lutar, ensejando um grandioso significado à existência que se adorna de possibilidades que facultam a conquista do *estado numinoso*.

Alguns objetam que esse comportamento pode proporcionar acomodação ao sofrimento, aceitação passiva das ocorrências perturbadoras, pensando-se que as futuras reencarnações tudo resolvem.

Pelo contrário ocorre, pois que a consciência de si faculta ampliação dos horizontes mentais, enriquecimento emocional superior, esperança de alcançar-se as metas dignificantes da vida, à medida que se luta por consegui-las.

⁓

Morre-se a cada instante, em razão das contínuas transformações que ocorrem no organismo.

---

anelar: desejar intensamente

disjunção: separação, desunião

numinoso: inspirado pelas qualidades superiores da divindade

Centenas de milhões de células decompõem-se e morrem, em minutos, ensejando o surgimento de outras tantas, até o momento quando a energia vital em deperecimento resultante do desgaste diminui e consome-se, ensejando a morte de todo o organismo.

Em uma lúcida comparação, toda vez quando o sono fisiológico toma o organismo e obscurece a consciência, defronta-se uma forma de morte, sem grande variação a respeito daquela que encerra o ciclo terrestre.

O medo da morte, de alguma forma, é atávico, procedente da caverna, quando o fenômeno biológico sucedia e o homem primitivo não o entendia, desconhecendo a razão da sua ocorrência.

Do desconhecido sucesso às informações que foram sendo recolhidas ao longo dos milênios, os mitos e arquétipos remotos encarregaram-se de criar funestos conceitos ao seu respeito.

Nada obstante, nesse mesmo período ocorreram as memoráveis comunicações espirituais cujas informações são encontradas em algumas escritas rupestres, assim também originando-se o culto aos Espíritos, como sendo uma forma de os manterem vivos, de os tranquilizarem, de os encaminharem ao mundo de origem.

Guardadas hoje as proporções, as cerimônias religiosas, as recomendações litúrgicas e os ritos constituem um aperfeiçoamento daqueles cultos primitivos, nos quais, durante um largo período, realizavam-se holocaustos de animais e de seres humanos, a fim de acalmar aqueles que se proclamavam deuses e responsáveis pelos acontecimentos em geral.

Houve, sem dúvida, um grande progresso na celebração dos cultos aos mortos, permanecendo ainda, lamentavelmente, a ignorância em torno da imortalidade.

Retornando ao convívio com aqueles que ficaram na Terra, dispõem-se de claras e significativas informações a respeito da sobrevivência do ser, de como contribuir em seu benefício, substituindo a pompa e as extravagâncias, muito do agrado da insensatez, pelas orações ungidas de amor e de respeito pela sua memória,

deperecimento: esgotamento

atávico: transmitido por atavismo (herança de caracteres de existências anteriores)

arquétipo: modelo que funciona como princípio explicativo da realidade material

funesto: nefasto, desastroso

rupestre: gravado em rochas e cavernas por indivíduos de povos primitivos

litúrgico: relativo ao conjunto dos elementos e práticas do culto religioso

holocausto: sacrifício

ungir: impregnar

recordando-os com carinho, trabalhando-se em benefício do próximo, em homenagem ao que representam na afetividade...

A reverência ao corpo fixou-se de tal maneira no comportamento humano que a arte utilizou-se desse fenômeno para preservar o carinho dos que permaneceram no mundo – afinal por pouco tempo, porque também foram convocados a seguir para o além –, por intermédio dos monumentos colossais, dos mausoléus ricamente decorados, das capelas revestidas de mosaicos e de mármores de altos preços... Os artistas aumentaram esse tipo de culto, estimulando as decorações com estátuas imponentes ou comovedoras, utilizando o bronze, o ferro, o ouro e outros metais, como também pedras preciosas, pinturas faustosas para expressar a grandiosidade do desencarnado, muitas vezes em situações deploráveis no mundo espiritual, como decorrência da vida que levou na Terra...

Ainda aí vemos uma forma de dissimular a morte, dando um aspecto festivo aos despojos já consumidos pelos fenômenos naturais...

... E todos esses recursos poderiam ser encaminhados para diminuir o sofrimento de milhões de criaturas enfermas, esfaimadas, excluídas do conjunto social...

Infelizmente, porém, a morte é um dos fatores que empurram as pessoas fracas e despreparadas para os enfrentamentos normais da existência, para a depressão, para a revolta, para a violência.

Ninguém conseguirá driblar a morte, por mais que o intente.

~

Pensa com frequência e tranquilidade na tua desencarnação.

Considera que o momento, por mais distante se te apresente, chegará fatalmente.

Recorda os teus desencarnados com carinho, envolvendo-os em ternura e orações.

Fala-lhes mentalmente a respeito da realidade na qual se encontram e de como se devem comportar, procurando o apoio dos seus guias e a proteção do Senhor da Vida.

---

mausoléu: monumento funerário

esfaimado: faminto, esfomeado

Morrendo e retornando logo depois, Jesus cantou o hino da imortalidade gloriosa que culmina a sua trajetória na Terra de maneira insuperável.

> O TEMOR DA MORTE
> É RESULTADO DA IGNORÂNCIA
> A RESPEITO DA VIDA.
> QUANDO SE TEM
> CONSCIÊNCIA DO
> SIGNIFICADO REAL DA
> MORTE, NA CONDIÇÃO DE
> *PASSAPORTE PARA A VIDA*,
> A ALEGRIA DA IMORTALIDADE
> SUBSTITUI A ANGÚSTIA
> DO ETERNO ADEUS.

14

Ante a volumosa massa de informações que chegam ao teu conhecimento a cada instante, afliges-te porque gostarias de poder absorvê-las ao máximo, tornando-te bem mais esclarecido e conhecedor das ocorrências que têm lugar no planeta.

Em realidade, grande número dessas notícias é constituído de tragédias e de vulgaridades, de notícias insensatas e mexericos entre pessoas que brilham sob os holofotes da fama, nas mais variadas colocações.

É verdade que labores de engrandecimento cultural e moral, científico e filosófico, novas conquistas da tecnologia e maravilhosos conhecimentos a respeito da vida, do planeta, do cosmo são trazidos a lume, fascinando as mentes e os corações.

labor: trabalho

trazer a lume: tornar público

ÂNSIA *de* SABER

Nada obstante, como afirma velho brocardo popular: *não se pode abarcar o mundo com os braços*, e os limites naturais, em razão das circunstâncias, não o permitem.

Há prioridades na existência humana que não podem ser postergadas, e aquelas que dizem respeito à autoiluminação destacam-se tomando o tempo e preenchendo os espaços emocionais.

O saber é muito importante no processo de desenvolvimento do Espírito, facultando-lhe a aquisição da cultura que proporciona entendimento das incógnitas existenciais, dos fenômenos psicológicos, atendendo a ânsia natural para conhecer sempre mais... No entanto, não menos importante é a aplicação desse conhecimento, a fim de que não se transforme o indivíduo em uma fonte de sabedoria que permanece adormecida, sem alcançar a finalidade para a qual existe.

brocardo: ditado, provérbio

postergar: adiar

incógnita: enigma

Aplicar o conhecimento adquirido na vivência diária é o objetivo essencial das informações que se acumulam, a fim de que possam tornar a existência mais dinâmica e, ao mesmo tempo, rica de valores emocionais.

Nesse mister, todo o esforço para a conquista dos tesouros íntimos deve ser empreendido, descobrindo-se quem se é, de onde se veio e para onde se ruma, de maneira que a renovação ética e emocional sempre para melhor se faça incessantemente.

mister: ocupação

O conhecimento liberta, mas a ação correta dignifica.

O conhecimento dá confiança, no entanto a experiência resulta da prática daquilo que se sabe.

Quando não se vivenciam as lições da sabedoria, de maneira alguma ocorre o desenvolvimento do Espírito, que permanece lúcido e inútil...

Desse modo, não te aflijas pelo que desconheces, mas rejubila-te pelo que sabes e aplicas na vivência de cada momento, tornando-te alguém capaz de modificar as estruturas arcaicas do mundo através da tua própria transformação moral edificante e abençoada.

De alguma forma, a sociedade está referta de pessoas-bibliotecas, refugiadas nos gabinetes de estudos e pesquisas, distantes das necessidades humanas que as solicitam.

referto: muito cheio

Escondem-se para mais intelectualizar-se, evitando a convivência com os sofredores que as necessitam.

Cultivam, dessa maneira, o narcisismo asfixiante, transformando-se em expoentes do saber, indiferentes, no entanto, com os problemas que assolam a sociedade.

narcisismo: amor pela própria imagem

~

Velho conto oriental narra que um generoso rei e o seu grão-vizir, ao desencarnarem, foram substituídos respectivamente pelos filhos que se encontravam, mais ou menos, na mesma idade e que muito se estimavam.

grão-vizir: primeiro-ministro do Império Otomano (turco)

Ao subir ao trono, o jovem rei solicitou ao seu amigo, agora na função relevante que lhe pertencera ao pai, que o ajudasse a governar com justiça e equidade.

equidade: igualdade, imparcialidade

Para consegui-lo, ele necessitaria que fossem convocados todos os sábios do reino e debatessem todos os conhecimentos existentes, escrevendo uma obra onde estivessem todas as necessidades humanas e os meios hábeis para resolvê-las.

O jovem convocou as mulheres e os homens ilustres e pôs-se em ação, trabalhando com essa variada equipe de profundos conhecedores de tudo, de modo que pudesse escrever uma obra que solucionasse as dificuldades e as aflições dos súditos.

Vinte anos transcorreram quando o grão-vizir acercou-se do rei com uma comissão de sábios, para apresentar o resultado desse esforço gigantesco.

Tudo estava exposto em trinta volumes expressivos que alguns servidores conduziram até a sala do trono.

Comovido, o rei elucidou:

— Posso imaginar o esforço que empreendestes todos vós na elaboração desse monumental conjunto de informações, que muito agradeço. Entretanto, ante os deveres que me cumpre atender e o pouco tempo de que disponho, nunca poderia ler todas as obras e inteirar-me das vossas informações. Assim sendo, eu vos solicito que sintetizeis todo esse conhecimento que me será de grande valia.

Novamente reuniram-se aqueles dedicados servidores e, vinte anos depois, uma vez mais levaram ao rei o resultado do empreendimento exaustivo, em apenas dez volumes.

Naquele período, porém, o rei encontrava-se no campo de batalha, defendendo o país de invasores impenitentes.

Ao ser comunicado que ali estavam os sábios com o resultado do seu esforço, recebeu-os na sua barraca de campanha à luz de lampiões e ouviu-os falar da excelência das obras, sentindo o entusiasmo do seu grão-vizir que exultava.

exultar: experimentar e exprimir grande alegria

Terminada a exposição, ele disse, algo amargurado:

fragor: estrondo

— Dez livros! Quando os poderei ler, especialmente no fragor destas lutas? Perdoai-me, porém tentai sintetizar ainda mais as vossas nobres informações. – Pediu licença para um breve descanso, a fim de continuar a luta.

Passaram-se mais dez anos, e um dia em que se encontrava no trono, envelhecido e tristonho, acercou-se-lhe o querido amigo, que vinha em nome de todos os sábios apresentar-lhe o resultado do esforço sobre-humano.

O nobre rei, algo surpreso, interrogou o amigo com gentileza:

— A que conclusão chegastes após tantos anos de estudos e investigações, que me possa auxiliar a ajudar o povo?

Com a voz trêmula e emocionado, o grão-vizir respondeu:

— Majestade, tudo quanto constatamos é que o povo sofre, e o remédio mais eficaz para o seu sofrimento é o amor que ilumina os sentimentos e pode ajudar a libertá-los das aflições...

Sem dúvida, o conhecimento é muito importante no processo de expansão do intelecto, no entanto, no que diz respeito à expansão da consciência e dos sentimentos, somente o amor é possuidor do meio mais eficaz para facultar o êxito.

Com profunda sabedoria, o Espírito de Verdade, conforme se encontra em *O evangelho segundo o espiritismo*, de Allan Kardec, no capítulo sexto, propõe:

> Espíritas! amai-vos, este o primeiro ensinamento; instruí-vos, este o segundo. No cristianismo encontram-se todas as verdades; são de origem humana os erros que nele se enraizaram. Eis que do além-túmulo, que julgáveis o nada, vozes vos clamam: "Irmãos! nada perece. Jesus Cristo é o vencedor do mal, sede os vencedores da impiedade." (Paris, 1860.)

O CONHECIMENTO LIBERTA, MAS A AÇÃO CORRETA DIGNIFICA. O CONHECIMENTO DÁ CONFIANÇA, NO ENTANTO A EXPERIÊNCIA RESULTA DA PRÁTICA DAQUILO QUE SE SABE. SEM DÚVIDA, O CONHECIMENTO É MUITO IMPORTANTE NO PROCESSO DE EXPANSÃO DO INTELECTO, NO ENTANTO, NO QUE DIZ RESPEITO À EXPANSÃO DA CONSCIÊNCIA E DOS SENTIMENTOS, SOMENTE O AMOR É POSSUIDOR DO MEIO MAIS EFICAZ PARA FACULTAR O ÊXITO.

escusar: dispensar, prescindir

Jamais te escuses na tarefa honrosa de servir, especialmente a que diz respeito ao **conhecimento espiritual.**

A ignorância é mãe de muitos males que afligem a criatura humana e responde por inúmeros crimes que se alastram na sociedade.

Utiliza-te das bênçãos do teu conhecimento em torno da imortalidade para difundires o bem, libertando as vidas que se encontram aprisionadas no cárcere sombrio da ignorância.

Uma palavra esclarecida pode conduzir as pessoas ao superior destino para o qual estão rumando.

O silêncio de quem conhece a realidade do mundo espiritual e pode divulgá-lo, mas não o faz, transforma-se em conspiração contra o bem.

A ignorância, em razão de não estar informada em torno dos

LIBERTAÇÃO GLORIOSA

deveres humanos e espirituais das criaturas, investe, audaciosa, disseminando a agressividade e o estupor, mantendo o primarismo e comprazendo-se nas atitudes infelizes.

Mediante informações equilibradas e saudáveis, podes esparzir esperança e alegria de viver, proporcionando encantamento e liberdade de ação.

Pessoas existem que, portadoras de expressivo patrimônio de conhecimentos espíritas, mantêm-se tímidas, mesmo em ocasiões nas quais poderiam esclarecer inquietações e sofrimentos, permitindo, desse modo, que se generalizem a desconfiança e o mal-estar.

Quando surgem os sofrimentos, porque sejam desconhecidas as suas causas e os motivos dignificadores, ele faz-se responsável pelo seu aumento lamentável, gerando desar e desesperança.

estupor: imobilidade provocada por espanto ou medo

esparzir: disseminar, difundir

desar: desaire (ato vergonhoso; desdouro)

Por meio do luminoso esclarecimento, renascem no imo daquele que o recebe a coragem e a alegria de encontrar-se em processo de reparação dos erros praticados ontem ou remotamente, dignificando-se perante a própria consciência, assim como diante da Consciência Cósmica.

Quando as dores de qualquer matiz encontram agasalho no recesso dos seres e esses não identificam a sua finalidade, não entendendo a *lei de causa e efeito*, elas transformam-se em látego impiedoso que dilacera a alma, atirando as suas vítimas no calabouço da revolta e do desespero. Sem o amparo da compreensão, o nada se apresenta como sendo a solução, abrindo as portas para o suicídio nefando...

Identificando-se como ser imortal que se é, cada qual avança pela senda do progresso colocando as suas aspirações no vir a ser, e trabalha para superar os desafios e as aflições momentâneas, por saber que se encontra destinado a alcançar a Grande Luz da qual todos procedem.

Em assim sendo, a reencarnação enseja uma visão otimista para a existência atual, mesmo que se encontre assinalada por abrolhos que ferem os pés ou carregada de nuvens espessas de testemunhos, mas que não conseguem anular o sol da esperança.

O ser esclarecido não mais se permite a dúvida em torno da imortalidade, na qual se encontra mergulhado, seja no corpo ou fora dele, mantendo contato com os Espíritos que o precederam no retorno ao *país* de origem e aguardando o seu momento de também volver...

Facilmente descobre os sublimes recursos para a recuperação moral, em razão dos antigos desmandos que se permitiu, ou mesmo como efeito dos mais recentes descalabros durante o período em que se movimentava sem rumo...

～

Esclarecido em torno do significado existencial, dos objetivos de que a reencarnação é portadora, o ser humano desperta para a compreensão da terrestre caminhada, experimentando inexprimível alegria de viver conscientemente.

O mal dos maus não o perturba nem as ameaças da agressividade o atemorizam.

Fixa-se nas finalidades que descobre em favor do seu crescimento íntimo e avança de mente erguida aos céus, enquanto os passos rumam com segurança na direção do porto que lhe espera o triunfo.

Fala-se muito, e com justa razão, a respeito da violência que grassa pandêmica, dizimando vidas, destruindo projetos de enobrecimento, diluindo sentimentos de solidariedade e fomentando males incontáveis.

> grassar: propagar-se; multiplicar-se
>
> pandêmico: que tem característica de enfermidade epidêmica amplamente disseminada

Não basta, porém, apenas assinalar-se o crime e a devassidão, mas lutar para diminuí-los, enquanto não se consiga bloqueá-los. Para tanto, a ação moralizadora, singela que seja, o comportamento saudável, as atitudes de benignidade e de auxílio constituem passos que se tornarão de alto significado, à medida que se multipliquem.

Muitas vezes, comentar o mal, sem gerar movimentos que se lhe oponham, contribui para a sua propagação, que recebe adesão dos fracos morais ou temor exagerado daqueles que ainda são mais débeis de sentimentos.

Não comentar o mal, o erro, o desar, constitui medida profilática para impedir-lhes a divulgação.

Aquele que se esclarece em torno da vida espiritual encontra um tesouro que pode multiplicar, mimetizando todos os outros que se lhe acercam, ao tempo que diminui a densidade miasmática predominante.

> mimetizar: assumir outra forma por meio de adaptação
>
> miasmático: pestilento, infecto

De alguma forma, muitos males podem ser evitados quando as criaturas tomam conhecimento das leis de Deus e a elas submetem-se, especialmente quando conseguem raciocinar em torno da justiça e das ocorrências espirituais, da interferência dos Espíritos nos seus pensamentos, palavras e atos, assumindo o compromisso de manterem-se em elevado nível de comportamento, o que impede a interferência daqueles que são maus e presunçosos, perversos e ociosos...

A palavra de amor e de esclarecimento que nasce nas emoções da solidariedade e da compaixão transforma-se em estrela lumi-

luminífero: que tem luz, que a produz

nífera, mantendo claridade esfuziante à sua volta.

Se a pessoa, porém, a quem apresentas os conceitos sublimes do espiritismo, recusa-se a recebê-los ou agride-te com veemência, encontra-se mais enferma do que imaginas, e, em vez de reagires, doa-lhe um sorriso fraterno e uma onda de compaixão de quem a compreende, mas não insistas...

invidência: privação do sentido da visão

Há muitos cegos que adicionam à invidência a revolta pela mágoa que sentem em relação àqueles que veem, tornando-se intratáveis, até mesmo com as pessoas que os desejam auxiliar. A sua rebeldia procede do ressentimento em relação à felicidade dos outros, autocompadecendo-se pelo que consideram um infortúnio de que se acreditam haver sido vítimas.

Há doentes muito graves que se permitem manter na situação deplorável em que se encontram a assumirem uma diferente atitude.

desforçar: desagravar

Mortificam-se e agradam-se quando ferem o seu próximo, desforçando-se do problema que os amarguram.

Em situações dessa natureza, não te facultes revides ou manutenção de ressentimento, considerando-os ingratos ao teu devotamento.

Segue adiante e os confia ao tempo.

～

Pelo fato de não conseguires sucesso com um ou com outro indivíduo, não descoroçoes no formoso labor de iluminar consciências.

descoroçoar: perder o ânimo

labor: trabalho

Evita, naturalmente, impor aos outros os teus pensamentos, todavia, quando solicitado ou quando as circunstâncias assim o permitirem, semeia luz e confia no futuro.

Recorda-te da *parábola do semeador*, não lamentando algumas sementes que se irão perder, porque aquelas que forem bem acolhidas darão frutos em abundância, compensando largamente o aparente prejuízo...

FIXA-SE NAS FINALIDADES QUE DESCOBRE EM FAVOR DO SEU CRESCIMENTO ÍNTIMO E AVANÇA DE MENTE ERGUIDA AOS CÉUS, ENQUANTO OS PASSOS RUMAM COM SEGURANÇA NA DIREÇÃO DO PORTO QUE LHE ESPERA O TRIUNFO.

16

As bibliotecas terrestres, desde a famosa de Alexandria até as mais modernas da atualidade, sempre estiveram superlotadas de obras portadoras de excelentes teorias sobre os mais diferentes assuntos que dizem respeito à humanidade.

Pensadores inspirados, em todas as épocas, anotaram em pergaminhos, em pedras, em tijolos e peles de animais, em tecidos, em papéis e por meio dos extraordinários veículos virtuais, as ideias de que se fizeram portadores, oferecendo imensurável legado de teorias nobres umas, ridículas outras, profundas algumas e diversas insensatas, proverbiais em grande número e levianas também incontáveis, tentando auxiliar o processo da conquista da felicidade.

Desde aquelas que se apresentam especialmente esdrúxulas até mesmo outras que expressam os transtornos psicopatológicos

TEORIA e PRÁTICA

dos seus autores enxameiam nas prateleiras e nos objetos de gravação, dando-lhes caráter de quase perpetuidade, não fossem as terríveis catástrofes que periodicamente assolam o planeta, ou as lamentáveis guerras que a quase tudo destroem...

Não têm faltado para os diversos tipos de comportamento contribuições valiosas ou perturbadoras a que muitos indivíduos se vinculam, procurando convencer os demais sobre as vantagens de que se fazem portadoras.

Sem dúvida, a sociedade tem avançado desde a caverna aos arranha-céus, da fase troglodita até a civilização tecnológica, quando postas em prática as teorias bem urdidas, que se transformam em utilidade e progresso.

urdir: enredar, tramar, maquinar

Nada obstante, muitas dessas propostas de conduta, elaboradas por personalidades descompensadas, têm constituído diretrizes para outras que se encontram em desajuste e as assimilam com facilidade, dando lugar aos transtornos mais graves, tanto na área pessoal quanto na social.

Lamentavelmente, lideranças perversas, utilizando-se da computação e insinuando-se por esse poderoso veículo de comunicação, adentram-se na intimidade doméstica e conquistam jovens inexperientes e sonhadores, exercendo sobre eles uma influência maléfica, destrutiva. Pervertidos, induzem-nos a atitudes agressivas, contrárias à cultura e à ética, disseminando a pedofilia, a anorexia, a bulimia, a prostituição, a drogadição, o suicídio... como espetáculos de exaltação da personalidade enferma.

Formam-se clãs e grupos odientos que se comprazem em gerar dificuldades para a comunidade, assumindo os instintos agressivos que deveriam ser educados, e disseminando o crime, a crueldade...

As teorias nascem no imo do ser que aspira pelo novo, pelo diferente, pelo melhor, muitas delas inspiradas pelos desencarnados que convivem com as criaturas humanas, estimulando-as nas suas tendências felizes ou viciosas, que aumentam com carinho ou ferocidade, dominados pelos sentimentos ditosos ou infelizes que os caracterizam.

Vivendo-se num mundo de intercâmbio espiritual, muitas dessas teorias são insufladas por mentes que estagiam além da morte e comprazem-se em conduzir para o bem ou induzir à prática do mal as criaturas com as quais se encontram em sintonia.

Em razão da multiplicidade de teorias, dentre as sublimes como as mais grotescas, somente uma análise cuidadosa pode selecionar as que devem ser colocadas em prática, em detrimento daquelas que são frutos das aberrações morais e espirituais em que se demoram uns e outros comensais do intercâmbio...

~

Desde priscas eras, a partir do momento quando a razão começou a orientar o instinto humano a encontrar o caminho da harmonia entre o ser profundo que é e o ego pelo qual se expressa,

---

anorexia: falta ou perda de apetite

bulimia: distúrbio do apetite com episódios incontroláveis em que se ingere uma quantidade excessiva de alimento, seguidos por processos radicais para que não ocorra o consequente ganho de peso

imo: âmago, íntimo

ditoso: feliz

comensal: frequentador

prisco: antigo

pensamentos enobrecidos transformaram-se em teorias libertadoras, graças às quais a humanidade tem encontrado o melhor roteiro para a aquisição da sua plenitude.

Destaquem-se os pensamentos dos grandes místicos orientais e filósofos idealistas gregos e romanos, passando pelas páginas da história nos seus momentos grandiloquentes, e poderemos realçar dentre inúmeros: a inscrição no pórtico do Templo de Apolo, em Delfos, que Sócrates popularizou – *Conhece-te a ti mesmo*; e, mais tarde, os incomparáveis ensinamentos de Jesus – *Amar a Deus sobre todas as coisas e ao próximo como a si mesmo* e *Não fazer a outrem o que não se deseja que outrem lhe faça.*

Pode-se sintetizar todo o nobre esforço das modernas doutrinas psicológicas preocupadas com a saúde comportamental e mental das criaturas nessas três frases que, levadas a sério e transformadas em conduta prática, conseguem produzir o equilíbrio emocional e psíquico, por gerarem harmonia íntima e produzirem alegria de viver.

O autoconhecimento é uma necessidade urgente para todo aquele que descobre o valor da conscientização da sua existência.

Autopenetrando-se, descobre os valores positivos e os prejudiciais que se lhe encontram no imo, predispondo-se às transformações para melhor, alterando os hábitos viciosos em que se intoxicava e adquirindo a visão nova em torno da existência.

De imediato, compreendendo o significado libertador do sentimento de amor, aprende a viver com o necessário, sem o apego mórbido às pessoas e às coisas que entulham os espaços, dispondo-se a cooperar, construindo a família fora da consanguinidade que se amplia na direção da universal.

Automaticamente, equipa-se de resistências para vencer o mal que nele mesmo existe, assim como o mal que outros lhe direcionam, permanecendo saudável e alegre, em razão do bem-estar proporcionado pelo nobre sentimento que o possui.

Como consequência, somente deseja ao seu próximo aquilo de

melhor a que aspira, pelo que luta, em favor de cuja conquista se entrega.

Esses postulados, teorias inspiradas por Deus, para servirem de roteiro de equilíbrio ao ser humano, têm constituído pilotis para a edificação do bem em todos aqueles que se lhes aplicam no cotidiano.

piloti: coluna estrutural

Ao mesmo tempo, são teorias muito fáceis de ser praticadas, porque dispensam qualquer tipo de esforço, não impondo cansaço nem tédio, por mais que sejam vivenciadas.

Na terapêutica preventiva aos transtornos de conduta, o amor é de vital importância, da mesma forma que ocorre na de caráter curativo.

O bem é sempre melhor para quem o cultiva, porque é o filho predileto do amor, irmão gêmeo do autodescobrimento e companheiro da ação solidária.

O ser humano encontra-se saturado de teorias, necessitando da demonstração dos seus resultados, a fim de eleger com segurança e serenidade aquelas que melhor lhe atendam as necessidades do sentimento e as aspirações da mente.

Cansado de buscas inúteis, vê-se agora constrangido à viagem interior, na expectativa de encontrar respostas para as perguntas angustiantes que lhe causam tormentos, quais sejam: o que existe além da morte, como será a vida no além-túmulo, que fazer para encontrar a paz?

defraudar: frustrar

De alguma forma, o excesso de tecnologia defraudou-o, porque lhe ofereceu conforto externo, algumas excepcionais contribuições em diversas áreas, especialmente na da saúde, mas não resolveu todas as questões, especialmente aquelas que dizem respeito à sua realidade interna.

~

Não seja de estranhar-se, portanto, que a sociedade do terceiro milênio, cansada de prazer e de sofrimento, de poder e de frustração, de glórias transitórias e de lutas exaustivas de grandeza mentirosa, pare na desabalada corrida a que se entrega em alucinação, para voltar às suas origens espirituais, para encontrar o repouso na prece, a alegria na caridade, a saúde no estímulo de viver, a fraternidade e a esperança no amor...

Estes são dias especiais e revolucionários, nos quais as multidões, cansadas de frivolidade e de gozos vãos, farão a sua viagem na experiência do autoencontro, da autoiluminação, do bem fazer, transformando essas veneráveis teorias em práticas existenciais ditosas.

ditoso: feliz

> O BEM É SEMPRE MELHOR PARA QUEM O CULTIVA, PORQUE É O FILHO PREDILETO DO AMOR, IRMÃO GÊMEO DO AUTODESCOBRIMENTO E COMPANHEIRO DA AÇÃO SOLIDÁRIA.

17

A SERVIÇO DA DIVULGAÇÃO DO ESPIRITISMO, ENFRENTAS DESA-fios e dificuldades que te surpreendem.

É muito fácil semear em solo preparado. Desafiadora, no entanto, é a tarefa de arrotear o terreno dos corações, cuidar de predispô--los à ensementação do *reino de Deus*, quando os interesses estão voltados para a conquista dos recursos terrestres.

Educados para ter e poder, os seres humanos lutam denodadamente pela posse, empenhando-se em conquistar prestígio, recursos endinheirados para desfrutar as comodidades, os gozos imediatos, mesmo que entorpecentes e frustrantes. Trata-se de uma velha cultura filosófica, portadora de *segurança*, conforme os padrões sociais de todas as épocas do passado.

Desse modo, é natural que encontres pessoas inescrupulosas que se utilizem da tua ingenuidade para retirar proveito imediato,

arrotear: lavrar para o primeiro cultivo

ensementação: semeadura

denodado: corajoso

DIFICULDADES *na* TAREFA

especialmente econômico, se podem, comprometendo-se apenas de forma aparente, sem interesse real pela transformação moral íntima para melhor.

Tu, que conheces Jesus, ainda te espantas ante a incredulidade conveniente de algumas dessas almas reencarnadas, que permanecem enregeladas no materialismo religioso a que se vinculam igualmente por aspirações imediatistas.

Supões que são Espíritos enfermos, e tens razão, porque o mal em que se comprazem é um estado primário da sua evolução. A astúcia de que dão mostras é filha do seu instinto felino, em razão da pobreza de inteligência para agir corretamente. A maneira como se conduzem corresponde ao seu nível de *consciência de sono* que lhes confere o estatuto de atraso moral e espiritual.

> erraticidade: intervalo em que se encontra um Espírito entre duas reencarnações; plano espiritual

Mancomunados com entidades perversas da erraticidade inferior, são excelentes instrumentos utilizados para a manutenção na Terra do estado de sofrimento em que o planeta se encontra, assim como os seus habitantes.

Zombando de tudo e de todos, o tempo também os desgasta e os encaminha na direção da morte, por mais longa seja a sua peregrinação física, quando, então, e somente aí, às vésperas da viagem de retorno, dão-se conta da oportunidade aplicada indevidamente, quando não o fizerem destrutivamente, despertando o desejo de recomeçar, de refazer o caminho, de recuperar-se...

> anfractuosidade: saliência, depressão

Como a imortalidade é o triunfo da vida, terão oportunidade de aprender pelo sofrimento lapidador das anfractuosidades do Espírito, transitando novamente pelos mesmos caminhos, porém em condições deploráveis, que lhes constituirão bênção renovadora...

Lamentarão os prejuízos e se predisporão à conquista dos valores eternos, aqueles que não enferrujam, que os ladrões não roubam nem as traças devoram.

Ninguém ficará à margem da lei do progresso, sendo arrastado, quando se obstina em permanecer avançando contra a correnteza.

> seixo: fragmento de rocha
>
> troço: pedaço

O seixo e o troço de madeira que tentam dificultar o curso d'água permanecem obstaculizando-o até o momento em que a correnteza se torna forte e dominadora.

Assim é a vida.

Nunca te facultes o desânimo ante as dificuldades na tarefa.

Com as facilidades adquiridas pelas conquistas da ciência e da tecnologia, que tornaram o mundo *uma aldeia global*, conforme se referem muitos comunicadores, os obstáculos ao bem estão sendo diluídos pelos recursos advindos desses notáveis instrumentos, especialmente os de natureza virtual...

Insiste, portanto, no programa que traçaste para a tua existência atual, porque são muitos outros aqueles que aderem a Jesus e que se permitem as modificações necessárias para a conquista do *reino*.

Também já transitaste pelas mesmas veredas em sombras e equívocos lamentáveis.

Trazes da grande *noite da alma* as marcas profundas dos compromissos infelizes, quando poderias tê-los vivenciado de maneira edificante.

Convidado, porém, pelo *Amor não Amado*, agora deixas-te arrastar pelo seu canto e encanto, entregando-te a ele e desejando que todos também o conheçam.

É normal, por conseguinte, que te afeiçoes à lavoura dos corações endurecidos, à transformação do solo humano em carência de fertilidade e de arroteio cuidadoso, devendo trabalhar com paciência e total confiança nos resultados que advirão após o teu esforço, mas que não te pertencem.

arroteio: ato de lavrar para o primeiro cultivo

Quem planta a couve espera colhê-la amanhã; quem planta a árvore frutífera igualmente anela pelos seus frutos, que nem sempre tem oportunidade de recolher; mas quem planta vidas entrega-as à correnteza do tempo, sem a preocupação de reunir qualquer tipo de benefício imediato.

anelar: desejar intensamente

Tens a tarefa que te impuseste de produzir recursos que sejam úteis a todos que te cercam ou que venham sobre as tuas pegadas...

Faze o melhor ao teu alcance, distribuindo sementes de luz como o Sol benfazejo que beija o charco tomado do mesmo carinho com que oscula as pétalas de delicada rosa...

Sob o comando de Jesus, as dificuldades tornam-se conquistas valiosas, assim como os cardos na primavera cobrem-se de delicadas flores...

cardo: erva com folhagem espinhosa

A tua é a tarefa de servir e não dispões de outros meios, senão esses que te induzem a produzir sempre mais com entusiasmo e alegria. Mesmo quando o serviço não te corresponda ao aspirado, permanece em júbilo pela honra de haveres sido convidado para a sua execução, sem nenhum tipo de conflito.

Diante daqueles que produzem confusão e espalham desavenças, mantém-te em paz interior e ajuda-os com bondade, porque eles estão enfermos e ignoram a doença que os devora.

Ninguém é infeliz pelo desejo de o ser, mas por circunstância que às vezes lhe escapa ao discernimento. É certo que se é responsável pelas ocorrências infelizes a que dá lugar, assim como pelos deslizes a que se entrega. Essa, no entanto, é uma questão que diz respeito a cada um e não ao teu julgamento. A ti compete auxiliar sempre e compadecer-te continuamente dos maus e dos males que engendram.

Rejubila-te, sem queixa, pela oportunidade de aplicares o tempo que o Senhor te concede na construção da nova humanidade, na qual te encontras.

Recorda-te do apóstolo Paulo nas suas duras peregrinações a serviço do evangelho, assim como de todos aqueles que se tornaram *cantores de Deus*, apresentando a mensagem libertadora.

Imita-os e homenageia-os, por haverem preparado o caminho pelo qual hoje percorres com facilidade, enquanto eles tiveram os pés e as almas dilaceradas pela aspereza do solo e pela perversidade humana dominante na época em que viveram...

De certo modo, os tempos ainda são muito parecidos, e, por isso mesmo, estás convocado para o ministério.

Não cai uma folha da árvore que não seja pela vontade do Pai – afirmou Jesus.

Assim também, o Pai acompanha o teu devotamento e o teu esforço com imenso amor, oferecendo-te os recursos inalienáveis para o êxito do teu empreendimento de iluminação e libertação de consciências.

Quanto maiores forem as dificuldades, melhores benefícios te advirão do trabalho.

Avança, cantando a mensagem de Jesus aos ouvidos moucos do mundo, até o momento que se abram para escutá-la e recebê-la em festa de sentimentos renovados.

mouco: surdo ou que ouve muito pouco

NUNCA TE FACULTES
O DESÂNIMO ANTE AS
DIFICULDADES NA TAREFA.
INSISTE NO PROGRAMA
QUE TRAÇASTE PARA A TUA
EXISTÊNCIA ATUAL.
FAZE O MELHOR AO TEU
ALCANCE, DISTRIBUINDO
SEMENTES DE LUZ COMO
O SOL BENFAZEJO QUE
BEIJA O CHARCO TOMADO
DO MESMO CARINHO COM
QUE OSCULA AS PÉTALAS
DE DELICADA ROSA...

18

diapasão: nível, padrão

altiplano: planalto

fadar: predestinar

Abraçando os ideais de enobrecimento, pensa-se que todas as criaturas estão vibrando no mesmo diapasão do progresso e que, em consequência, haverá uma natural adesão em torno dos objetivos relevantes que devem conduzir as vidas para os altiplanos da felicidade.

O ser humano é um conquistador insuperável, fadado às estrelas que lhe estão ao alcance, na medida em que se empenha por alcançá-las.

Desde a descoberta do fogo e do invento da roda, o seu mundo jamais foi o mesmo, alterando os seus padrões de comportamento e de convivência no rumo de melhores resultados.

Mediante o esforço e o raciocínio que se lhe foi desdobrando – a Divina Presença no cerne do ser! –, levantou-se e começou a avançar na direção do infinito, ora sob dores acerbas, noutros

os ADVERSÁRIOS, MESTRES OPORTUNOS

momentos em júbilos inexcedíveis, conquistando espaços e adquirindo conhecimentos.

Renascendo em contínuo processo de crescimento intelecto-moral, vem acumulando as experiências que se transformam em bênçãos que deve esparzir pelos caminhos percorridos, deixando pegadas apontando o porto de segurança que se encontra sempre à frente.

esparzir: disseminar, difundir

Quando atraído pela mensagem libertadora de Jesus, porém se lhe modificam as paisagens interiores e alteram-se-lhe os interesses, ampliando-lhe as possibilidades de ser útil, conseguindo um significado especial para a existência.

Nada obstante, por que se movimenta num planeta igualmente de provas e de expiações, não se pode furtar à psicosfera que lhe é peculiar nem às injunções que o caracterizam.

psicosfera: ambiente psíquico

Compreensível, portanto, que nem todos aqueles que navegam na mesma barca da evolução estejam firmados em propósitos de edificação nobilitante, alguns ainda detendo-se em estágio inferior, assinalados pelo primarismo de que se fazem portadores.

Indiscutivelmente, o processo de transformação interior, no qual os instintos cedem lugar aos valores da razão e da consciência, é lento, ainda mais tendo-se em vista que nem todos os viandantes da indumentária material iniciaram-se no empreendimento espiritual no mesmo instante.

> viandante: viajante

Procedentes de especiais momentos da evolução, incontáveis, inevitavelmente se encontram em patamares diferentes, que explicam as diversas aspirações que os tipificam.

Felizes aqueles que já compreendem os impositivos da existência terrena, após vencerem os impulsos agressivos que lhes conferiam a sensação de dominadores do mundo e que o sentido exclusivo da vilegiatura carnal seria a conquista dos prazeres e das sensações que mais os agradam.

> vilegiatura: temporada de fruição

Aqueles que são mais fisiológicos do que psicológicos detêm-se nas faixas das paixões primevas e, mesmo quando a consciência se lhes desperta, prosseguem vivenciando um período de transição que ainda lhes não permite uma perfeita visão da realidade. Embora ansiando por algo melhor, competem, quando deveriam cooperar, malsinam os companheiros, quando lhes cabia o dever de os auxiliar, porque a predominância do ego torna-os ambiciosos e prepotentes.

> primevo: dos primeiros tempos

> malsinar: condenar

 Não sabem servir com abnegação, sem servir-se, retirando os lucros do orgulho e da presunção, que lhes constituem a moeda retributiva. Podem mesmo desejar ser melhores, no entanto os impulsos afligentes que resultam dos conflitos e dos complexos de inferioridade que os acompanham de existências pretéritas transformam-nos em inimigos de todos aqueles que supõem lhes farão sombra...

São infelizes, disfarçados de joviais, humanitários e bondosos, na hipocrisia em que vivem, ocultando os sentimentos inferiores.

Desse modo, transformam-se em adversários perversos dos demais que não lhes compartem as ideias e que pensam pretender excluir.

~

Adversidade é lição para a vida e adversários são mestres que proporcionam o treinamento no bem, sem o concurso do aplauso ou da bajulação habituais, dificultando o trabalho honorável do servidor fiel.

Esses irmãos infelizes que se propõem envenenar-te os sentimentos com a sua pertinaz perseguição merecem compaixão em vez de reproche ou de animosidade.

Se é verdade que não lhes deve facultar um relacionamento pusilânime, não é justo devolveres os seus pensamentos enfermiços com outros do mesmo gênero.

pusilânime: fraco moralmente

Sofres, porque gostarias de servir sem a presença desse tipo de tribulação.

Choras, porque os teus são anseios de construção do amor em toda a parte, e no entanto sentes o amargor da calúnia que te antecede os passos, da maledicência que te aturde quando lhe tomas conhecimento, ou da zombaria depois que vais adiante...

O melhor comportamento em tais circunstâncias é não valorizar o mal nem aquele que se te fez mau.

Concede-lhe o privilégio de ser como se encontra, mas te impõe o dever de ser fiel ao compromisso com Jesus, que também experimentou iguais ofensas sem dar-lhes a menor importância.

Gastas tempo e preocupação mental com esses companheiros que te vigiam e acusam, que te acompanham com insistência e infernizam os momentos em que trabalhas e quando repousas.

Ficas indagando como conduzir-te, desde que, se silencias ao mal e ao descalabro que reinam, acusam-te de omisso, mas se levantas a voz e proclamas a verdade, taxam-te de intolerante e mendaz...

descalabro: queda; dano

mendaz: mentiroso

Desse modo, faze o que deves e comporta-te conforme estabelece o teu programa ante a consciência do dever.

Esses adversários dos teus objetivos não são apenas opositores teus, mas, sem dar-se conta, daquele a quem procuras servir, que os entende e concede-lhes tempo para a reabilitação.

Aprende, portanto, com os inimigos, fraternidade legítima, compreensão gentil, exercitando sempre a compaixão.

Na aduana da caridade, a misericórdia e o amor dão-se as mãos, a fim de ensejarem à virtude máxima a ocasião de expressar-se.

aduana: alfândega

Constituam-te estímulo o serviço desses mestres desconhecidos, apurando-te mais, qualificando-te melhor, a fim de produzires com segurança na seara da elevação espiritual da humanidade.

Ninguém atravessa o rio carnal sem experimentar a correnteza violenta sobre a qual navega o Espírito.

Todos os homens e mulheres afeiçoados ao bem pagaram o pesado tributo da diferença entre eles e os que os cercavam, à época em que viveram e àquela pela qual anelavam, e é graças a eles que percorres os atuais caminhos por onde segues em júbilo e dores, porém fixado na meta que te fascina.

anelar: desejar intensamente

～

O mundo ainda não tem condições de compreender e aceitar o compromisso da iluminação íntima como primeiro passo para a marcha ascensional.

Por enquanto, somente aqueles que se fizeram fortes e decididos conseguem ultrapassar as barreiras das dificuldades, colocando marcos na senda escura, de maneira que facilite a jornada espiritual dos que virão depois.

Todo desbravador carrega as marcas da sua audácia de aventureiro do progresso. Abre picadas na densa mata, traça roteiros nos mares bravios, alça-se aos céus ampliando os espaços e caminha sobre acúleos, quebrando-os, assim preparando a senda para o porvir...

acúleo: espinho

Exulta, portanto, por teres adversários, mestres desconhecidos, a seres adversário de quem quer que seja.

exultar: experimentar e exprimir grande alegria

ADVERSIDADE É LIÇÃO PARA A VIDA E ADVERSÁRIOS SÃO MESTRES QUE PROPORCIONAM O TREINAMENTO NO BEM, SEM O CONCURSO DO APLAUSO OU DA BAJULAÇÃO HABITUAIS. EXULTA, PORTANTO, POR TERES ADVERSÁRIOS, MESTRES DESCONHECIDOS, A SERES ADVERSÁRIO DE QUEM QUER QUE SEJA.

19

TODOS OS GRANDES TRIUNFADORES DO MUNDO PASSARAM PELA Terra nos seus carros dourados, temidos uns e odiados outros, invariavelmente deixando as marcas danosas das suas existências perniciosas...

Alguns combatentes desalmados que semearam o terror e a destruição de tribos e de povos inteiros ergueram impérios e tornaram-se tão temidos quão detestados, assinalando a história da sua passagem pelo mundo como consequência da sua brutalidade e selvageria.

Muitos se tornaram protetores das artes e promoveram o desenvolvimento do seu país, construindo monumentos que o tempo não venceu completamente, imortalizando-se por obras grandiosas, túmulos suntuosos, estátuas, obeliscos e memórias das guerras que lhes assinalaram os triunfos...

obelisco: monumento vertical com base quadrangular que diminui progressivamente para formar no ápice uma pirâmide

a VITÓRIA da VERDADE

Incontáveis notabilizaram-se pela crueldade com que tratavam os inimigos ou aqueles que dessa maneira os consideravam, escravizando-os e matando-os com insensibilidade total.

Um deles, após vencer um povo pacífico e espoliá-lo dos bens, comprazia-se em vazar-lhes os olhos com uma lança afiada, e porque o trabalho fosse-lhe exaustivo, teve a ideia de transformá-la num instrumento bidente, facilitando a ignóbil façanha...

Os impérios egípcio, assírio, babilônio, persa, romano e diversos outros foram governados por múltiplos sicários da humanidade, que se ergueram na história sobre a cabeça decepada dos vencidos, desaparecendo também ao seu turno...

Os bárbaros, que surgiram nos grupos hunos, godos, visigodos e outros, foram conduzidos por odientos líderes que se comprazíam em incendiar as aldeias e cidades após vencê-las, salgando o solo,

sicário: malfeitor, facínora

algumas vezes, para que nada produzisse, e ficaram conhecidos pela maldade...

Muitos levantaram o seu país contra o mundo em campanha sórdida de falsa superioridade, dizimando milhões de vidas que consideravam inúteis ou vazias de significado, submetendo as nações que se encontravam à sua volta mediante destruição impiedosa... Nada obstante, no auge do poder, cercados de cruéis ministros e comandantes, começaram a sofrer reveses, e, quando tudo demonstrava a sua queda, suicidou-se o chefe supremo, que foi acompanhado por aqueles que fizeram o planeta tremer e que, depois de assassinar as famílias, fugiram também aos impositivos das leis pelo vergonhoso autocídio...

A história é referta de fatos nos quais insanos governantes e comandantes de povos celebrizaram-se pelo terror, assinalando o período em que viveram pelas guerras da hediondez, do horror que mantinham contra a humanidade...

Seria de esperar-se que, nos tempos modernos, considerando-se o progresso tecnológico e científico, o desenvolvimento da ética e da bioética, as conquistas do pensamento e da civilização, já não houvesse lugar para esses famigerados tiranos da vida humana. Entretanto, ei-los renascendo em roupagens diferentes, no Oriente e no Ocidente, fomentando o terrorismo internacional e nacional, as revoluções e as guerras sofisticadas e não menos tirânicas, em que as vidas são ceifadas sem nenhuma piedade ou respeito pelos civis, especialmente crianças, idosos, enfermos e mulheres...

A sanha do poder permanece intacta nas suas estruturas doentias, ambicionando a dominação das vidas, em razão da impossibilidade de conquistá-las pela sabedoria, pela arte, pela justiça...

É-lhes mais fácil fazerem-se temidos do que respeitados, assim comprazendo-se em inspirar o ódio porque são incapazes de merecer consideração.

~

sórdido: indigno, vergonhoso

autocídio: suicídio
referto: abundante

hediondez: pavor, repulsa

bioética: estudo dos problemas e implicações morais despertados pelas pesquisas científicas em biologia e medicina

sanha: vontade incontrolável

Entre as emoções que surgem no ser humano durante o seu processo de crescimento intelectual e racional, o medo assinala-o profundamente desde os primeiros momentos tribais, ou mesmo antes...

Esse sentimento que surge de maneira irracional desenvolverá outros equivalentes ou piores, como o pavor, o pânico, o terror...

Logo depois, ao apresentar-se a ira como preservadora da existência física, abre-se o elenco em forma de raiva, de ódio, de ressentimento, de vingança...

Só mais tarde surgiu o amor em forma de proteção do grupo, de preservação da unidade do clã, que se manifestou em facetas variadas, como a da amizade, da ternura, do devotamento, do afeto profundo, da renúncia, da abnegação...

É compreensível, portanto, que haja predominância em a natureza humana das emoções primevas, levando o indivíduo à autopreservação, mediante a imposição do medo aos outros, do ódio que nele se encontra em potencial, até quando o sofrimento demonstrar a sua fragilidade, fazendo-o refugiar-se no seio do amor.

primevo: dos primeiros tempos

O amor é a mais bela expressão da verdade que se conhece, porque somente ele é possuidor dos valores que dignificam e enobrecem, que edificam e sustentam as vidas, dando-lhes estabilidade sob todos os aspectos considerada.

No passado remoto, no próximo como no presente, os líderes do amor deixaram pegadas luminosas que mantiveram os povos e as civilizações confiantes na vitória do bem e conduziram milhões de vidas no rumo da paz, da fraternidade, do desenvolvimento cultural e principalmente moral.

Enquanto os guerreiros ferozes nas suas campanhas eram antecipados pelas tubas e anúncios apavorantes das suas tropas de extermínio, a doçura e a resistência do amor mantiveram as criaturas confiantes no futuro, não permitindo que a vitória dos alucinados ultrapassasse um breve período de ilusão, consumindo-os com a desencarnação vergonhosa, o assassinato vil, a *mão da justiça* que sempre alcançou alguns ao largo do tempo.

efêmero: breve

desapear: destituir

voragem: que é capaz de tragar, sorver com força

nesse comenos: nesse ínterim, nesse entretempo

hediondo: pavoroso, repulsivo

Os seus triunfos pavorosos foram de efêmera duração e não conseguiram prolongar-se após sua morte, mesmo quando transferiram o legado infame a familiares ou seguidores fanáticos, que também foram desapeados do poder ou consumidos pelo anjo da morte...

Enquanto se consideravam fortes, foram submetidos ao impositivo do tempo que tudo transforma na sua voragem contínua, tornando-os pigmeus no concerto da humanidade sadia.

Nesse comenos, o amor sempre tem experimentado amesquinhamento, humilhação, sendo submetido ao impositivo das hediondas forças da governança de mentira, sem que possa ser vencido.

A doçura da compaixão, a força do perdão, o poder da misericórdia sempre superam as baionetas, os carros de guerra, todos os tipos de armas de destruição, a voracidade dos criminosos, a luxúria dos gozos pelas forças mortíferas da loucura, terminando por instaurar definitivamente o reino do amor na Terra.

Os poderosos sempre consideraram o amor como fraqueza dos sentimentos, e não existe emoção mais grandiosa do que essa, porquanto é o amor que governa os dominadores e os dominados, e mesmo entre os mais ferozes adversários do ser humano, neles vige a dúlcida voz da ternura, expressando a sua realidade sob as duras camadas da insanidade mental, semelhando-se ao diamante estelar aguardando que se lhe retire a ganga que o oculta...

ganga: parte não aproveitável de uma jazida

O amor é a expressão sublime da verdade, porque é o mesmo em todos os tempos e sempre atual em todas as épocas.

Sinédrio: corte suprema judia

ignaro: ignorante

diáspora: dispersão de um povo em consequência de preconceito ou perseguição

Pilatos, o governante que não teve coragem de defender Jesus, suicidou-se depois, os poderosos do Sinédrio que o condenaram e a massa ignara que dele zombou não sobreviveram às forças asselvajadas de Tito, o filho guerreiro do imperador Vespasiano, que destruiu Jerusalém pouco depois, no ano 70, impondo a primeira diáspora ao povo judeu...

O imperador Tibério, em Roma, que governava o mundo, afastou-se da capital e refugiou-se na ilha de Capri, temendo os seus inimigos e morrendo algo dementado...

Mas Jesus, o símbolo vivo do amor, cada dia está mais presente no mundo, e tudo quanto disse e fez tornou-se paradigma para a nova civilização que surgirá dos escombros desta que sucumbe sob os camartelos da verdade.

Ama, portanto, em qualquer circunstância, e confia...

paradigma: um exemplo que serve como modelo; padrão

camartelo: instrumento usado para quebrar, demolir

> O AMOR É A EXPRESSÃO SUBLIME DA VERDADE, PORQUE É O MESMO EM TODOS OS TEMPOS E SEMPRE ATUAL EM TODAS AS ÉPOCAS. AMA, PORTANTO, EM QUALQUER CIRCUNSTÂNCIA, E CONFIA...

20

incoercível: que não se pode constranger

holocausto: imolação

inexaurível: inesgotável

calidoscópio: caleidoscópio; grande variedade

Por mais definições e conceitos apresentem o amor, a sua força incoercível transcende sempre as colocações filosóficas, éticas, emocionais, comportamentais, pelas quais se expressa.

Mesmo nas manifestações primárias, quando se inicia com singelas características derivadas do instinto de preservação da vida, desenha todo um roteiro de crescimento que alcançará as culminâncias, adornando-se de sacrifícios e de holocaustos, de ternura e de abnegação.

Nascido nas inexauríveis Fontes do Excelso Criador, apresenta-se num calidoscópio de manifestações que movimentam o cosmo e todos os seres viventes.

É o amor que proporciona a força de aglutinação das moléculas no mundo microscópico, assim como dos astros no macro, como

o INCOERCÍVEL PODER do AMOR

energia de atração e de repulsão, conforme ocorre entre os seres animados, em forma de afinidade ou de reação.

O deotropismo, que a tudo e a todos atrai para o seu Divino Fulcro, é a mais elevada e grandiosa manifestação do seu poder, em razão de erguer do caos da insignificância a vida nas suas primeiras apresentações, especialmente o *princípio inteligente*, na sua origem, até proporcionar-lhe a plenitude.

O amor ilumina a sombra da ignorância com o conhecimento, fomenta o progresso pelo trabalho, amplia os horizontes da percepção mediante o exercício contínuo da meditação.

Ao ser fraco, oferece força e resistência; ao bruto, enseja a docilidade; ao rebelde, proporciona o equilíbrio; ao déspota, faculta a compaixão; ao empreendedor, gratifica com o êxito; ao pigmeu, transforma em gigante; ao desanimado, impulsiona o recomeço

deotropismo: estímulo que impele o ser a crescer em direção a Deus

da ação interrompida; ao fracassado, estimula o prosseguimento da atividade, sendo a energia que transforma tudo e todos para melhor.

O amor jamais desiste de levar adiante as obras de engrandecimento moral e espiritual da humanidade, porque se estrutura nos valores éticos da vida.

<small>ensoberbecer: orgulhar-se</small>

Jamais se ensoberbece, porque sabe que o seu êxito é resultado da permanência do esforço infatigável para o alcançar.

Em todas as situações é sempre o mensageiro da alegria e da ternura, jamais reagindo, sempre agindo de maneira correta e dulcificadora.

<small>dulcificador: suavizador, abrandador</small>

Nessa aparente fragilidade está a sua força incoercível, que nunca cede espaço à prepotência e ao canibalismo.

Pode-se impedir que se espraie, nunca, porém, que paralise a sua ação. Às vezes encarceram o indivíduo e o amordaçam, na vã expectativa de silenciar a sua expressão, que se exterioriza no olhar do impedido, que não se encontra vencido no sentimento que o domina e não pode ser aniquilado.

<small>joeirar: peneirar, separando o joio do trigo</small>

Quanto mais difícil o solo dos corações a joeirar, mais o amor se intensifica e produz sementes de vida eterna.

Quando os maus triunfam e pensam que poderão estabelecer o seu reinado infeliz, o amor suavemente brota do coração das vítimas e abençoa o martírio, tornando-se invencível.

Todos aqueles que se lhe opuseram através da história sucumbiram posteriormente ao seu encanto e vigor.

~

Santa Mônica, por exemplo, dominada pelo amor a Jesus, vivendo o martírio de um matrimônio infeliz, e genitora de Agostinho, rebelde e vulgar, então orou por vinte e sete anos em favor da conversão do filho, até o momento em que ele se tornou cristão, quando, concluída a sua tarefa, desencarnou em paz.

Por amor ao seu próximo, Maximiliano Kolbe, o sacerdote polonês, trocou a sua pela vida de um operário, quando os nazistas iam enviá-lo para uma casamata no campo de extermínio, onde deveria morrer, salvando-o...

Por amor à vida humana, Pasteur, embora enfermo, perseguiu os micróbios até encontrar a vacina contra a raiva e abrir o campo para a descoberta de muitos outros agentes de destruição do organismo.

Livingstone, o célebre conquistador e missionário inglês, estando em viagem pela África, embora não falasse outro idioma, senão o da sua pátria, deixou marcas inapagáveis do amor por onde passou, ajudando e estimulando as criaturas à felicidade.

Santos e heróis, mártires e sacrificados multiplicam-se nos relatos da história, dominados pelo amor que lhes ofereceu as forças para alcançarem as cumeadas da abnegação, sorridentes e felizes, doando a preciosa existência para que outros pudessem viver com dignidade e em paz.

Mães e pais abnegados, filhos dedicados e reconhecidos, irmãos conscientes, servidores humildes e gênios do conhecimento, da ciência, da tecnologia, da arte, dominados pelo amor, mantêm a sociedade em equilíbrio, fomentando-lhe o progresso e impulsionando-a no rumo dos objetivos sublimes de iluminação e espiritualidade.

O amor é a alavanca propulsora do bem que se esparze na Terra.

Sem a sua presença, a natureza seria árida e a beleza que brilha em toda parte ficaria reduzida ao desencanto e à degradação...

Nunca te canses, portanto, de amar.

Seja qual for a situação em que te encontres, dispões do instrumento divino do amor para equacionar quaisquer dificuldades, enobrecer os acontecimentos, fomentar o desenvolvimento moral, espiritual e material do ser humano.

Não fosse o amor de Nosso Pai, e a vida seria um fenômeno espúrio do acaso, candidata à desintegração, por absoluta falta de finalidade.

Portanto, nunca te queixes pelo fato de amares.

casamata: prisão subterrânea

cumeada: ponto mais elevado

espúrio: que não está de acordo com as leis

O amor é espontâneo e, por isso mesmo, é imbatível.

Espontâneo, torna-se um rio que se faz caudaloso, à medida que se alonga pelo curso, na direção do Oceano Celestial...

Quando amas, a tua vida adquire sentido e significado psicológico, porque se enriquece de bênçãos, que são os valores elevados da misericórdia, da compaixão, da afabilidade, da renúncia, da caridade, sem a qual *não há salvação*.

Examina as nascentes do amor no teu mundo íntimo e cuida de preservá-las sempre límpidas e cristalinas, não permitindo que ali se amontoe o lixo da ingratidão dos outros, a provocação dos maus, o desinteresse dos frívolos, a alucinação dos gozadores...

Estimula a generosidade dessa fonte que é inexaurível, e verificarás que, à medida que mais distribuíres a linfa sublime, mais ela produzirá.

<small>linfa: água límpida; seiva</small>

~

Jesus, o excelente psicólogo, numa época em que predominavam o crime e a traição, o suborno e o utilitarismo, a descrença e o cinismo triunfava, quando a vida humana valia menos do que a de uma animália, embora perseguido e odiado, elegeu o amor como sendo a maior conquista destinada ao ser humano.

<small>animália: animal de carga</small>

... E para demonstrar a grandeza dessa emoção superior, amou-nos em total segurança, de maneira que não trepidou em oferecer-se em holocausto, dando a própria vida, a fim de demonstrar-nos que a existência física somente possui objetivo quando é dominada pelo amor.

~

O AMOR É A ALAVANCA PROPULSORA DO BEM QUE SE ESPARZE NA TERRA. NUNCA TE CANSES DE AMAR. SEJA QUAL FOR A SITUAÇÃO EM QUE TE ENCONTRES, DISPÕES DO INSTRUMENTO DIVINO DO AMOR PARA EQUACIONAR QUAISQUER DIFICULDADES, ENOBRECER OS ACONTECIMENTOS, FOMENTAR O DESENVOLVIMENTO MORAL, ESPIRITUAL E MATERIAL DO SER HUMANO.

21

Mesmo nos espíritos gentis remanescem algumas presenças das imperfeições que podem ser modificadas pelo processo de transformação dos sentimentos anestesiantes e perversos em outros de essência superior.

A intolerância e o fanatismo, não poucas vezes, surgem e impõem-se arbitrariamente dando lugar a estados de sofrimento que poderiam ser evitados.

Ambos são heranças persistentes dos estágios primários, responsáveis pelo processo da evolução.

medrar: crescer

A intolerância medra como erva daninha no jardim das atividades humanas, como necessidade de impor-se com as suas maneiras de ser e de compreender, derrapando, quase sempre, em tormentoso fanatismo.

INTOLERÂNCIA e FANATISMO

Filho do egocentrismo não ultrapassado, o fanatismo é herança odienta que atormenta e atormenta-se, em razão de desejar que todos se submetam ao seu talante, à sua dominação.

Naturalmente, é expressão da prepotência animal que permanece gerando dificuldades nos relacionamentos e impedimentos no esforço de autoiluminação.

Não apenas na conduta religiosa encontram-se esses dois sicários que sabem disfarçar-se, permanecendo como vírus cruel ceifando as possibilidades de crescimento.

O intolerante assim como o fanático somente veem o que lhes apraz, aquilo que consideram real e, portadores de narcisismo, mantêm a veleidade pessoal de que, pelo fato de aceitarem essa conduta, todas as demais pessoas estão equivocadas quando pensam de maneira diferente.

talante: arbítrio, vontade

sicário: malfeitor, facínora

narcisismo: amor pela própria imagem

veleidade: presunção

> morboso: doentio, enfermo, mórbido

Embora as pessoas possuam equilibrada formação moral e sejam portadores também de outros sentimentos nobres, quando lhes são vítimas, esses morbosos companheiros emocionais podem comprometer os valores da gentileza e da bondade, quando estejam contrariados.

A intolerância é mazela da alma que torna irritadiça a pessoa que a sofre, impulsionando-a à tomada de atitudes duras e insensíveis quanto aos resultados.

O fanático, por sua vez, abraçando o comportamento que lhe parece real e superior, também se torna indiferente aos efeitos que advenham para aqueles que se movimentam em área diversa da sua.

Desse modo, autofascinados, querem salvar os demais, impondo as suas ideias, e, quando não aceitas, não se compadecem dos males que infligem, disfarçados em mecanismos salvadores.

> referto: abundante
>
> hediondo: pavoroso, repulsivo

A história está referta desses indivíduos que cometeram crimes hediondos, ora em nome da fé religiosa, noutros momentos em nome de comportamentos políticos, culturais, desportivos, artísticos e de variada denominação.

Acreditam-se honestos e fiéis aos sentimentos que os animam e esforçam-se para mudar a estrutura da sociedade, tornando-se inimigos do amor e da compaixão, geradores de sofrimentos e amarguras.

> morbífico: capaz de gerar doença
>
> estirpe: categoria

O intolerante desenvolve uma cultura morbífica e destrutiva à sua volta, invariavelmente vinculado a outros da mesma estirpe, e o fanático entrega-se de tal forma à maneira de crer, que somente se felicita quando sucumbem aqueles que pensam ser-lhes opositores, quando, em realidade, os adversários são eles próprios.

> antínomo: oposto

A compreensão e o respeito pelo próximo são os antínomos desses infelizes comportamentos que se tornam comuns entre as criaturas humanas.

Ninguém tem o direito de engessar as mentes e os sentimentos alheios nas suas fórmulas, exigindo que se pense conforme lhes é imposto.

O tempo da *fé cega* vai distante, e a partir do momento que o homem e a mulher adquiriram a capacidade do livre-arbítrio, utilizando-se dos tesouros da sua consciência e do seu conhecimento, têm o direito de comportar-se conforme lhes aprouver, desde que a sua decisão não traga embaraços aos demais.

Vive-se hoje um período de descobertas e de constatações, igualmente de contestações dos velhos paradigmas que se encontram ultrapassados, e a liberdade de consciência, como de conduta, é uma conquista que honra a civilização.

paradigma: um exemplo que serve como modelo; padrão

Já não há como retroceder nessa área, e toda ideia que se pretenda impor sem o valioso contributo da lógica e da razão tende a emurchecer, após o enganoso período de vitória, desaparecendo na voragem do tempo.

contributo: contribuição

emurchecer: perder o vigor

Ninguém pode deter o curso do progresso e da liberdade.

Todos os títeres que o intentaram foram consumidos pelo suceder dos dias e quase todos aqueles que lhes padeceram as injunções penosas puderam fruir depois deles os benefícios dos seus ideais, que permaneceram temporariamente esmagados...

voragem: que é capaz de tragar, sorver com força

títere: governante que representa interesses alheios

A intolerância é algoz de quem a cultiva, e o fanatismo que se lhe une é o filho espúrio e perigoso que se movimenta favorecendo a ignorância e o predomínio da força.

algoz: carrasco

Quando se é portador de ideais de enobrecimento, possui-se a visão clara da realidade e as suas propostas são oferecidas como forma de desenvolver o progresso, de libertar as consciências do obscurantismo, ampliando os horizontes da compreensão humana em torno da vida, do belo, da harmonia...

espúrio: bastardo

O idealista legítimo possui a compreensão de que o êxito do seu empreendimento é conseguido a grande esforço, mediante as demonstrações de sua legitimidade pelo exemplo de equilíbrio de que se faz portador.

Quando impõe, por qualquer razão, a sua forma de ser e de compreender, gera conflito e, nesse caso, cria oposição inevitável.

Sempre haverá, sem dúvida, opositores no mundo às ideias novas, porque esses que assim se comportam estão satisfeitos no estágio em que estacionam, e ante os novos desafios tornam-se-lhes naturais inimigos, o que é compreensível. Mas serão vencidos pela força esmagadora dos fatos que se impõem, passado o período de luta e de zombaria que sempre ocorre.

Não há, pois, razão, nunca, para manterem-se atitudes de intolerância e de fanatismo, porque a vida é feita de bênçãos, de equilíbrio e de beleza.

Quaisquer atividades que se apresentem de maneira diversa estão fadadas ao esquecimento, à desintegração.

A força do bem e do amor, inata nas propostas de desenvolvimento intelecto-moral das criaturas humanas, constitui o dínamo gerador de novas energias para facultar a sua fixação nas mentes e nos corações ao serem informados, passando a cultivá-las com abnegação e entusiasmo.

Esse poder que possuem o bem e o amor é imponderável, porque de natureza transcendental, manifestando-se de forma suave e nobre por toda parte.

Enquanto a intolerância e o fanatismo geram guerras, a gentileza e a liberdade produzem paz, facultando alegria.

~

Se reflexionarmos em torno daqueles intolerantes e fanáticos que se opuseram à implantação do *reino de Deus* na Terra, quando da vinda de Jesus, constataremos que foram consumidos pela voragem do tempo e a sua figura hostil desapareceu da história ou permaneceu como hedionda pelos crimes cometidos. No entanto, a doutrina de amor e de misericórdia apresentada por aquele que lhes experimentou o opróbrio, a humilhação, a morte e o ódio, cada

---

dínamo: máquina geradora

transcendental: superior, sublime; que excede a natureza física

opróbrio: degradação social

dia mais se expande, tornando-se na atualidade a melhor psicoterapia e filosofia existencial para proporcionar a paz, a saúde e o encantamento pela vida.

> NINGUÉM TEM O DIREITO DE ENGESSAR AS MENTES E OS SENTIMENTOS ALHEIOS NAS SUAS FÓRMULAS, EXIGINDO QUE SE PENSE CONFORME LHES É IMPOSTO. ENQUANTO A INTOLERÂNCIA E O FANATISMO GERAM GUERRAS, A GENTILEZA E A LIBERDADE PRODUZEM PAZ, FACULTANDO ALEGRIA.

22

irrupção: invasão súbita

pandêmico: que tem característica de enfermidade epidêmica amplamente disseminada

narcisismo: amor pela própria imagem

labor: trabalho

A CULTURA CONTEMPORÂNEA, ANTE O UTILITARISMO DE QUE SE faz portadora, emissária do consumismo e da perda de identidade do ser humano, que a todos iguala em padrões de esdrúxulo comportamento, favorece a irrupção pandêmica da depressão, conforme vem assolando em toda parte.

Propondo o imediatismo como medida salvacionista do caos que se estabelece, em razão da ausência de objetivos relevantes para a existência, estimula a aquisição de recursos que somente proporcionam os meios para o prazer e o narcisismo, o desfrutar dos gozos exaustivos, levando ao estresse, por um lado, quando as dificuldades se apresentam, ou ao tédio, após fruídos continuamente.

Essa conduta é estimulante aos iniciantes nos jogos dos interesses materiais, sem a experiência, que é fruto dos labores vivenciados na conquista dos ideais mais significativos da sua existência.

a TRAGÉDIA da DEPRESSÃO

Buscando as sensações fortes do dia a dia, não se preocupam com as emoções superiores da vida a serviço da iluminação pessoal, como consequência do conhecimento intelectual e do sentimento profundo do amor, em perfeita identificação de objetivos morais.

O ser humano encontra-se, quando nessa condição, soterrado sob a força dos desejos primários que o vêm conduzindo pelo amplo período da evolução.

Ademais dos fatores sociopsicológicos geradores da depressão, é possível acrescentar-se os que se derivam da perda de sentido existencial, da ausência de segurança nos padrões nobres das tradições de beleza e de objetivos dignificantes, da falta de convivência saudável com o próximo, em razão do medo de ser traído, abandonado, explorado ou simplesmente ignorado quando as suas necessidades se impuseram em relação à amizade e ao afeto.

Quando se cultivam sentimentos agradáveis, o sistema límbico no cérebro é acionado, produzindo bem-estar, mantendo a temperatura em harmonia, afetando desse modo todas as funções orgânicas e, naturalmente, as emocionais.

Por meio das neurocomunicações, a vida expressa-se no corpo de acordo com as paisagens ancestrais da hereditariedade, das enfermidades infectocontagiosas, dos traumas da infância, dos distúrbios orgânicos, assim como dos conflitos que atormentam o indivíduo, levando à saúde ou aos variados transtornos que lhe afetam a existência.

O desequilíbrio das funções tireoidianas, as mudanças orgânicas pela menopausa e pela andropausa, o câncer, o abuso do álcool, as doenças cardiovasculares, a idade avançada contribuem de maneira vigorosa para a presença da depressão, que tende a agravar-se conforme o tratamento ou não que se lhe ofereça.

Como decorrência, surgem os seus sintomas em forma de fadiga, estresse, problemas de alimentação, aumento ou perda de peso, mal-estar generalizado, dificuldade de sono contínuo com episódios de insônia, indigestão, palpitações, dores articulares, disfunção sexual, vertigens, sobretudo desinteresse pela vida...

A depressão é perversa, porque também se esconde sob máscaras sutis, infelicitando aqueles que lhe tombam nas armadilhas.

Merece, no entanto, ter-se em mente como preponderantes as heranças das reencarnações transatas que respondem pelos sintomas geradores do tormento depressivo.

~

Herdando as suas ações anteriores, positivas e negativas, quando há predominância das prejudiciais, o Espírito renasce com as tendências funestas para a depressão, bem como para todos e quaisquer problemas na área da saúde, ou, quando são nobres, enriquecido de valores que o tornam saudável.

---

sistema límbico: conjunto de estruturas cerebrais situadas na região mediana e profunda do cérebro

funesto: nefasto, desastroso

Eis porque se torna indispensável a vivência das atitudes espirituais elevadas, que estimulem pelo pensamento o cérebro à manutenção das monoaminas responsáveis pela harmonia e bem-estar emocional: a serotonina, a noradrenalina, a dopamina...

> monoamina: substância bioquímica derivada de aminoácidos, atua como neurotransmissor no corpo humano

Mediante as terapias médicas especializadas, os pensamentos habituais de desprezo por si mesmo, pelo mundo e pelo porvir lentamente cederão lugar à esperança, com algumas alternativas perturbadoras, até se fixarem os ideais de renovação responsáveis pela conquista da saúde.

Nesse período de terapêutica medicamentosa, nunca esquecer que a interrupção por este ou aquele motivo irá produzir resultados danosos à recuperação, podendo levar o paciente a um estado de cronicidade do distúrbio depressivo.

Não poucas vezes, a melhora que o enfermo experimenta durante o tratamento proporciona-lhe a ideia falsa da cura, o que lhe faculta a atitude errônea de suspender os medicamentos, que se farão necessários no próximo episódio ou recidiva.

O contributo da psicoterapia defluente do esforço pessoal em favor da própria cura, das leituras edificantes e estimuladoras, dos objetivos enobrecedores da existência humana, o trabalho artístico em qualquer área, ensejando a instalação da beleza na névoa da depressão, a oração ungida de amor e de confiança em Deus, simultaneamente a recepção de passes e a absorção da água fluidificada são de alta magnitude, favorecendo a reconquista integral da saúde emocional.

> contributo: contribuição

> ungir: impregnar

Isto porque, invariavelmente, nos transtornos de conduta como noutros, sempre existem interferências espirituais infelizes, produzidas por antigos desafetos que ficaram na memória do passado, mas que prosseguem vivos e atuantes, buscando desforçar-se dos sofrimentos que lhes foram infligidos por aqueles que agora se lhes transformam em vítimas.

> desforçar: vingar

A obsessão campeia na área do comportamento com mais vigor do que se pode imaginar, sendo, não raro, a causa de maior número de problemas emocionais e psíquicos de que padece a sociedade.

Os fatores exógenos e endógenos, encarregados de os desencadear, encontram-se ínsitos nas causas reais desses acontecimentos perturbadores, que muitas vezes se fazem funestos.

Porque ninguém foge da própria consciência, mesmo quando não se encontra instalada a culpa dos males que foram praticados nas existências passadas, eles permanecem nos arquivos profundos do perispírito, responsável pelas fixações no inconsciente individual, facultando a sincronização com as mentes desencarnadas perversas, mediante o fenômeno da afinidade vibratória.

A existência humana sempre transcorre através de erros e acertos que oferecem o saldo correspondente à qualidade das ações praticadas.

Quando essas pertencem ao quadro do bem, elevam o ser, que se reencarna sem as *feridas morais* trazidas do ontem, portador de recursos saudáveis para o trânsito carnal. No entanto, quando há predominância dos débitos morais, o Espírito, ao reencarnar-se, imprime nos tecidos sutis da organização cerebral o esquema de valores que lhe dizem respeito, programando a jornada física.

Tudo no universo obedece à ordem, ao equilíbrio, aos padrões divinos da justiça e da equanimidade.

Os infratores das Leis sofrem, como é compreensível, o resultado do seu desrespeito a esses códigos inalteráveis.

~

Em razão do número volumoso dos depressivos, generaliza-se por outra parte a preocupação de diagnosticar-se qualquer fenômeno de tristeza como sendo o distúrbio infeliz.

A tristeza faz parte do cardápio da saúde, proporcionando momentos de melancolia, de reflexão, de falta de interesse por valores que, em determinado momento, eram portadores de significação, e a perderam.

---

exógeno: que provém do exterior

endógeno: que se origina no interior

ínsito: intimamente gravado

equanimidade: equidade, imparcialidade, neutralidade

Esse fenômeno, porém, que é natural em a natureza humana, que o experimenta com certa periodicidade, não se deve prolongar, a fim de não se transformar na dolorosa patologia.

Sintoniza, portanto, as tuas aspirações nas propostas de Jesus, em torno da vida e da alegria de viver, resultando em saúde espiritual que tomará conta da tua existência, tornando-te realmente feliz.

> A TRISTEZA FAZ PARTE DO CARDÁPIO DA SAÚDE, PROPORCIONANDO MOMENTOS DE MELANCOLIA, DE REFLEXÃO, DE FALTA DE INTERESSE POR VALORES QUE, EM DETERMINADO MOMENTO, ERAM PORTADORES DE SIGNIFICAÇÃO, E A PERDERAM. ESSE FENÔMENO, PORÉM, NÃO SE DEVE PROLONGAR, A FIM DE NÃO SE TRANSFORMAR NA DOLOROSA PATOLOGIA.

23

Onde quer que te encontres e conforme estejas, estás sob o comando de Deus.

A Sua misericórdia envolve-te em inspiração e a Sua forma de amor atrai-te na direção do infinito da Sua sabedoria.

Queixas-te de dificuldades e de desafios que se te apresentam, especialmente quando anelas pelas conquistas grandiosas da vida, e supões que estás desamparado, entregue à própria sorte, sem os preciosos bens que te proporcionem o êxito.

Trata-se, essa conduta, de uma visão equivocada sobre o Pai Amantíssimo.

Todo o processo da evolução é desenvolvido pelos impositivos que facultam a conquista dos patamares superiores da vida. Ninguém consegue aprender e vencer, se não enfrenta os meios hábeis para tal.

anelar: desejar intensamente

sob o COMANDO de DEUS

A luta é o clima dos heróis e dos vencedores.

A ascensão de qualquer natureza exige persistência e sacrifício.

Quando contemplas alguém no acume da montanha, deves considerar o esforço empreendido para vencer as anfractuosidades da subida, o cuidado nos momentos perigosos ante os abismos abaixo, o esforço para não parar...

Embora a beleza que se contempla do alto, o oxigênio lá é mais rarefeito e a respiração torna-se mais difícil, exigindo maior contribuição de equilíbrio emocional.

O agricultor cuidadoso trabalha o solo com carinho e persistência, desejando formar um pomar, certo da ensementação que fará e dos resultados que virão. Entretanto, terá que cuidar do seminário, à medida que surgem as plântulas, defendendo-as das pragas, do clima quando áspero, dos animais que lhes ameaçam

acume: cume (parte mais alta)

anfractuosidade: saliência, depressão

ensementação: semeadura

seminário: viveiro de plantas

a existência, fazendo a rega e a poda, não descansando enquanto não se transformam em árvores capazes de resistir às intempéries e às ameaças ambientais.

O ato de viver é constituído por circunstâncias que impõem cuidados e enfrentamentos contínuos.

O Autor do universo cuida da Sua obra e de tudo quanto existe.

Nada se encontra sob os camartelos do acaso, que seria a negação da racionalidade da Criação.

Desse modo, tranquiliza-te e trabalha os metais do personalismo e da autocompaixão que te envolvem e que manténs com o pensamento deprimente, saindo da concha estreita, onde permaneces, para os imensos espaços do progresso que te aguarda.

Quando Colombo sonhou com o Novo Mundo, não se deteve contemplando o mar e acusando-o de ser quase invencível àquela época. Atirou-se ao ideal, lutou para convencer as diversas cortes europeias, até que sensibilizou os chamados *reis católicos*, que lhe auxiliaram na tarefa. Todavia, essa primeira parte foi a mais fácil, porque os desafios se encontravam nas calmarias, nas terras a conquistar, nas doenças que o aguardavam e à sua tripulação, no desconhecimento de tudo que estava à frente...

Quando Vicente de Paulo resolveu abandonar a luxuosa corte francesa para dedicar-se aos irmãos sofredores que se encontravam em aparente abandono, a inspiração de Deus levou-o a todo tipo de enfrentamentos até oferecer abrigo e socorro adequado a quantos lhe foram possível atender.

Quando Gandhi enfrentou o império britânico, não aguardou que tudo lhe fosse facilitado. Prisões, jejuns estoicos e intermináveis lutas familiares e grupais à sua volta tentavam ameaçá-lo, enquanto ele permaneceu tranquilamente dando vida ao seu ideal, enquanto a sua vida se esvaía...

Nunca esperes facilidades que entorpecem os sentimentos e enfraquecem as resistências que a luta exige.

⁓

---

camartelo: instrumento usado para quebrar, demolir

calmaria: ausência de vento

estoico: que se mostra resignado diante do sofrimento, da adversidade

Sob o comando de Deus, desde quando foste criado, desdobraram-se-te as oportunidades de autocrescimento e de autoiluminação, e foste superando as fases iniciais mais grosseiras, que, no entanto, mantiveram-te a essência, quando ainda *princípio inteligente do universo* necessitavas das condições propiciatórias ao desenvolvimento dos tesouros em germe.

Submetido a provas e a dores acerbas, adquiriste o discernimento, superando os impositivos do instinto, que te mantinham na animalidade, e alcançaste o patamar superior da consciência, conseguindo compreender as leis que regem a vida e discernir qual o melhor comportamento para cresceres no rumo das estrelas.

acerbo: cruel, terrível

Lentamente desenvolveste a capacidade de pensar, aplicando a mente na construção do mais eficiente para ti mesmo, despertando para o sol do amor que te arrancou da solidão, oferecendo-te a fraternidade e as bênçãos da harmonia que já começas a fruir.

A agressividade defensiva inicial transformou-se em precaução, ensejando-te a vigilância, a fim de cuidares da preservação da vida, preparando o porvir que te aguarda, sempre sob o superior comando de Deus.

Nunca te faltaram a inspiração para o bem, o apoio dos mensageiros da vida superior, que velam pelo teu desenvolvimento, tornando-se emissários do Pai em todos os momentos das tuas múltiplas existências passadas e durante a atual.

Eles intercederam por ti, contribuindo em teu favor com ternura e bondade em todas as situações que vivenciaste.

Quando, agora, portador da capacidade de compreender e executar os planos divinos que se encontram ínsitos no ser que és, o que ocorra em forma de desafio e de luta é decorrência natural da necessidade de mais cresceres e de maneira segura entenderes a grandeza da vida na sua plenitude.

ínsito: intimamente gravado

Não te detenhas na reclamação ou na lamentação, cultivando ressentimento e mal-estar, porque todo esforço direcionado para o bem transforma-se em conquista indispensável para o encontro com a felicidade.

O fato de estares nas *mãos de Deus* não impede que vivencies as experiências iluminativas que todos os seres enfrentam no seu processo de desdobramento interno para a vitória sobre os próprios limites.

Persiste no cumprimento rigoroso dos deveres, sentindo o comando de Deus em tudo, trabalhando com afinco as tendências positivas e superando as perturbadoras, certo da vitória final.

O Senhor não concede carga excessiva àqueles que ama, nada obstante faculta a bênção da oportunidade de conduzi-la a cada qual, que assim poderá descobrir os nobres significados da viagem carnal.

Saindo da ignorância para o conhecimento, da treva para a luz, armazena as informações das experiências vivenciadas, não mais afligindo-se ante os novos cometimentos nem se detendo na marcha direcionada para a plenitude.

Aquele que não consegue enfrentar os desafios demora-se em estagnação, quando o impositivo existencial é avançar sempre.

Desse modo, alegra-te com a dificuldade que te amplia os horizontes, após conquistada a chance de realização.

~

O ministério de Jesus foi todo assinalado pelos desafios e dificuldades que ele soube contornar. Estabelecendo as suas metas de misericórdia e de compaixão para com todos aqueles que se transformaram em pedra de tropeço, assim como para a época de atraso moral em que se encontrava a sociedade.

Sendo o Excelente Filho de Deus, em momento algum se permitiu viver de maneira especial, sem passar pelos testes da existência terrestre, sempre ricos de traições, crueldade e perseguição.

Por isso mesmo, fez-se-nos o exemplo maior de abnegação e de amor, por haver-se dedicado a legar a todos, nos seus e nos dias do futuro, o mapa da felicidade que é alcançada na viagem conduzida pela bússola do dever retamente cumprido.

∽

NÃO TE DETENHAS NA RECLAMAÇÃO OU NA LAMENTAÇÃO, CULTIVANDO RESSENTIMENTO E MAL-ESTAR, PORQUE TODO ESFORÇO DIRECIONADO PARA O BEM TRANSFORMA-SE EM CONQUISTA INDISPENSÁVEL PARA O ENCONTRO COM A FELICIDADE. ONDE QUER QUE TE ENCONTRES E CONFORME ESTEJAS, ESTÁS SOB O COMANDO DE DEUS.

24

olvidar: esquecer

T ODA CRENÇA RELIGIOSA QUE SE FIRMA NO AMOR É DIGNA DE respeito e de carinho.

O objetivo essencial da fé religiosa é dignificar a criatura humana, tornando-a melhor moralmente e preparando-a para desenvolver os valores espirituais que lhe dormem no íntimo.

Em razão do mergulho na matéria, o Espírito aturde-se e quase sempre olvida os compromissos assumidos na espiritualidade, deixando-se comandar pelas manifestações do instinto que o ajudaram nos períodos remotos da evolução, mas que foram suplantados pelo discernimento e pela consciência, permanecendo somente aqueles que preservam a vida e dão sentido existencial.

Na neblina carnal, no entanto, a predominância da matéria, como é compreensível, dificulta o discernimento a respeito da finalidade da reencarnação, facultando que os sentidos físicos se

RELIGIÃO CÓSMICA *do* AMOR

direcionem para o prazer, para o gozo, para a satisfação das necessidades biológicas.

A consciência, entretanto, trabalha pela eleição do significado existencial, do equilíbrio emocional, do bem-estar espiritual, alargando os horizontes da percepção para as conquistas relevantes e significativas que acompanharão o ser após o seu inevitável decesso tumular.

Por esses motivos dentre outros, a necessidade de uma religião que se expresse em lógica e praticidade, destituída dos aparatos e das fantasias, dos interesses sórdidos do comportamento material, faz-se imprescindível para enriquecer os seres humanos de beleza e de harmonia. Isto porque, a conquista da lógica, no longo roteiro evolutivo, impõe a necessidade de compreender-se tudo quanto se deseja vivenciar, a fim de constatar-se a sua resistência diante da razão em quaisquer circunstâncias.

Assim sendo, não há mais lugar para qualquer tipo de crença religiosa que se apresente com manifestações totalitárias, eliminando a capacidade do crente de pesquisar, de aceitar ou não os seus postulados, sendo-lhe exigido crer sem entender. É certo que ainda surgem segmentos religiosos fundamentados no fanatismo, geradores de lutas e de intolerância, tentando impor-se pela força dos seus dirigentes políticos ou de outra espécie, mas não pela sua estrutura racional e profunda.

Naturalmente, ante o impacto do progresso, aqueles que lhes aderem ao comportamento logo desenvolvem o senso da razão e os abandonam, isso quando não lhes permanecem vinculados pelos frutos apodrecidos dos interesses materiais que lhes rendem prestígio, poder e recursos econômicos...

Nesse caso, sendo destituída do sentimento de amor, de compreensão e de bondade, estando ausentes o respeito pelo próximo e pelo seu direito de acreditar naquilo que mais lhe convém e felicita, essas estranhas doutrinas mais atormentam do que consolam, seduzindo grande fatia da sociedade que ainda permanece vitimada pelos atavismos, quando se fizeram poderosos e esmagaram aqueles que eram considerados adversários do comportamento enfermiço.

Foram essas religiões trabalhadas pela força política e pelos impositivos da ignorância que se encarregaram de afastar os fiéis das diretrizes do amor que conduz a Deus, abrindo espaço para os comportamentos agressivos e a revolta constante, facultando o desenvolvimento do materialismo e do niilismo, que lhes bloquearam a capacidade de crer e, por efeito, de abraçar os ideais de religação com a Divindade.

Nesse báratro, a misericórdia divina proporcionou à humanidade uma crença religiosa que atende perfeitamente ao mandamento maior e, ao mesmo tempo, conforta e tolera todos quantos não lhe dão guarida.

---

atavismo: herança de caracteres de existências anteriores

niilismo: redução ao nada; inutilidade da existência; absoluta falta de crença

báratro: abismo, voragem

Trata-se do espiritismo, que se fez a resposta eloquente do amor de Deus às criaturas ansiosas que Lhe suplicavam diretrizes e oportunidade de crescimento, assim como recursos para a conquista da felicidade.

O espiritismo, ademais de fundamentar-se no amor pela ação da caridade, é doutrina profundamente racional, que esclarece o aprendiz a respeito das razões da crença e da sua legitimidade, por estruturar-se na linguagem iniludível dos fatos.

Jesus, quando esteve na Terra, elegeu o amor como sendo a fonte de sabedoria e de iluminação mais poderosa que se pode conhecer.

iniludível: em que não pode haver ilusão

Estabelecendo como essencial o *amor a Deus acima de todas as coisas e ao próximo como a si mesmo*, não renegou as crenças que predominavam na cultura de então, lamentando que elas não possuíssem essa especial conduta, perdidas em aparências e cerimoniais que mataram o conteúdo essencial de que Moisés se fizera portador ao apresentar os *Dez mandamentos*.

Neles estão inscritos, sem dúvida, os códigos éticos de alta magnitude, responsáveis pela ordem social e moral da humanidade, numa síntese que facultaria ao direito civil em muitos países fundamentar os seus postulados nessas seguras regras de comportamento.

Jesus, complementando porém a propositura do amor, de que a sua doutrina se faz o reservatório inexaurível, transformou-o em código superior de socorro aos infelizes de todos os matizes, utilizando-se da ação da caridade como sendo a sua expressão mais elevada.

inexaurível: inesgotável

matiz: nuança; gradação

Todas as suas palavras fizeram-se revestir pelos sublimes exemplos, pelas ações, pelos fatos extraordinários que passaram à humanidade, confirmando-lhe o messianato, demonstrando ser ele o Embaixador de Deus, aquele que todos esperavam, mas preferiram não aceitar, porque ele feria de morte as paixões inferiores,

messianato: messiado; missão do Messias

os interesses mórbidos dos religiosos equivocados, que se compraziam em manter os crentes na ignorância, a fim de melhor explorá-los.

Por sua vez, ele sempre elucidava todos os enigmas que atormentavam as pessoas, explicando a necessidade do amor em todas as expressões: ao trabalho, ao dever, à família, ao próximo de toda procedência, mas acima de tudo ao Pai Criador.

Submeteu-se às arbitrariedades do poder temporal para demonstrar a sua fragilidade na sucessão dos tempos, especialmente diante da morte que a todos arrebata, modificando as estruturas do mundo e das próprias criaturas.

Jamais se permitiu ceder aos caprichos dos adversários da verdade, divulgando-a e vivendo-a nas situações mais ásperas e agressivas.

Com a sua visão superior, conhecia a fragilidade daqueles que se candidatavam ao ministério da sua palavra, tolerando-lhes a fraqueza moral, mas não anuindo com ela, de modo que anunciou O Consolador, que ele rogaria ao Pai enviar, a fim de que o rebanho não ficasse esparramado, sem diretrizes de segurança, nos momentos difíceis do futuro que se apresentaria árduo para a conquista da real felicidade.

... E cumpriu a promessa, por ocasião do advento do espiritismo.

> anuir: consentir; aprovar

O amor realmente deverá ser um dia a mais bela conduta, a mais significativa, a psicoterapêutica preventiva e curadora, tornando-se uma forma de religiosidade que fascinará a todas as criaturas.

Ao espiritismo compete, portanto, o dever, por intermédio dos espíritas sinceros, de propagar os seus postulados, de divulgar as imorredouras lições do evangelho, de demonstrar a excelência dos seus paradigmas, o alto significado de que se fazem instrumento as comunicações espirituais, a magnitude da reencarnação, a convivência com o bem e a sintonia com o inefável amor de nosso Pai.

> paradigma: um exemplo que serve como modelo; padrão

A religião cósmica do amor, desse modo, no espiritismo encontra o solo abençoado e fértil para apresentar-se e enflorescer-se, produzindo os frutos da felicidade a que todos aspiram, sem nenhuma desconsideração pelas demais que se fundamentem no mandamento maior, vivendo a tolerância e a caridade indiscriminadas.

~

> O AMOR REALMENTE DEVERÁ SER UM DIA A MAIS BELA CONDUTA, A MAIS SIGNIFICATIVA, A PSICOTERAPÊUTICA PREVENTIVA E CURADORA, TORNANDO-SE UMA FORMA DE RELIGIOSIDADE QUE FASCINARÁ A TODAS AS CRIATURAS.

25

Quando se serve, em qualquer forma de solidariedade, há um suave e doce encantamento que enternece o indivíduo, dando-lhe sentido existencial e dignidade humana.

O ser humano deve descobrir o objetivo essencial da sua existência, especialmente no que diz respeito ao seu comportamento durante o elevado período de discernimento e de consciência.

Todos os impulsos que nele ocorrem induzem-no ao crescimento, à conquista dos valores transcendentais, que aguardam o momento de desenvolver-se, rompendo a couraça que os envolve. A sua é a fatalidade do bem, em cujo curso encontra a real alegria que o propele no rumo da felicidade.

Ninguém alcança os altiplanos da vida sem os esforços iniciais no sopé da montanha.

---

transcendental: superior, sublime; que excede a natureza física

propelir: mover para a frente; impulsionar

altiplano: planalto

o SUAVE ENCANTAMENTO de SERVIR

Por essa razão, o esforço em favor da conquista relevante do ser psicológico deve ter como fundamental significado a tarefa de servir.

Quando alguém não consegue descobrir a finalidade da jornada humana, continua com entorpecimento emocional e paralisia mental, porque tudo no universo é dinâmico e ativo.

O serviço em favor do próximo, por exemplo, enriquece aquele que coopera com os tesouros da sabedoria e da compreensão dos próprios limites, como também os dos demais, facultando a conquista da elevação moral, que se expressa como despertamento para a realidade profunda do ser espiritual que se é.

Avançando na direção das horas, compreende que é abençoado pelo ensejo de melhor aplicá-las, de forma que deixe rastro luminoso pelo caminho, dando significado interior ao ato de viver.

Entende que, além do fenômeno biológico do existir, a reencarnação confere-lhe a honra de produzir, de alterar o rumo das ações sempre para melhor, superando os impedimentos que o detêm na retaguarda do progresso.

Diz-se com certo pessimismo que *aquele que não vive para servir não serve para viver*, o que sem dúvida é pejorativo, e poderia ser proposto como *aquele que não vive para servir ainda não aprendeu a viver*.

A vida é uma nobre canção de serviço em todos os ângulos sob os quais seja observada.

Em consequência, o ato de servir é manifestação do amor que se alonga do emocional para a realidade prática da ação edificante.

Quando nasce a criancinha, ainda rica das vibrações do claustro materno, mantê-la em contato com a mãezinha é um ato de amor que proporciona vida e dela fará um ser amante e amado, porque nessa continuação de dependência as monoaminas da afetividade são captadas pelas terminações nervosas e transformadas em emoções de bem-estar, de segurança, de harmonia.

monoamina: substância bioquímica derivada de aminoácidos, atua como neurotransmissor no corpo humano

Não recebendo essa carícia, o nascituro sente a ruptura dos vínculos que o mantinham com o seio generoso em que se albergava, sentindo-se desamparado e podendo desenvolver os primeiros futuros conflitos de solidão e abandono.

O serviço, portanto, na sua expressão de vida afetiva, é bênção que enfloresce os sentimentos mais nobres.

Mede-se a grandeza de um cidadão pelos esforços que empreende para melhorar-se, trabalhando em favor de uma futura sociedade mais justa e mais feliz.

equanimemente: equitativamente, imparcialmente

As suas conquistas são distribuídas equanimemente, de maneira que todos se beneficiam.

Por mais singelo seja o serviço que tem como meta auxiliar o próximo, transforma-se em contribuição valiosa para o desenvolvimento moral da humanidade.

Avalia-se a estrutura moral de um povo pela maneira como os seus governantes se utilizam da oportunidade de tornar a vida dos seus governados menos penosa e mais rica de possibilidades de desenvolvimento.

Quando isso não ocorre, o abismo que separa as classes sob o ponto de vista econômico e social gera a miséria vergonhosa, na qual estorcegam aqueles que não tiveram oportunidade de pertencer aos grupos de privilegiados que os exploram.

estorcegar: contorcer-se

A sociedade, portanto, é o resultado dos fatores que são proporcionados ao indivíduo como célula básica do grupo que a constitui.

Quanto mais amplas forem as possibilidades de trabalho e remuneração justa, melhores os efeitos no conjunto geral.

Dessa forma, ninguém se pode eximir de produzir no bem, na solidariedade, cada qual contribuindo com a quota que lhe esteja ao alcance.

Allan Kardec, o eminente codificador do espiritismo, compreendeu essa necessidade, dedicando-se a apresentar soluções fundamentais para o problema da miséria socioeconômica, conforme se pode ler em *O livro dos Espíritos*, no capítulo referente à *lei do trabalho*, que é fomentador do progresso, com a consequente *lei do repouso*, que proporciona renovação de forças e alegria de viver.

O repouso, no entanto, não significa falta de ação, conforme pensam algumas pessoas imprevidentes, que optam pela ociosidade, especialmente quando concluem uma fase da vida laboral e ativa, aposentando-se e deixando de trabalhar...

laboral: trabalhista

Normalmente, nessa eleição mórbida, a pessoa candidata-se à depressão, à inutilidade.

Pode-se concluir uma tarefa e repousar enquanto se movimenta noutra.

A simples mudança de atividade constitui renovação de entusiasmo e de energia, porque o importante é encontrar-se estimulado para viver e para agir.

O serviço, portanto, de autoiluminação, na sua grandeza e significação, torna-se essencial, após o hábito saudável das outras expressões de trabalho.

A mente ativa e o corpo ágil pela movimentação contínua proporcionam os recursos interiores para o prolongamento da existência dentro do clima de bem-estar e de autorrealização, assim como de cooperação social.

De igual maneira, a mente necessita de contínuo exercício, a fim de mais facilmente ampliar a sua capacidade de raciocínio, estimulando o cérebro a proceder à tarefa dos registros que lhe dizem respeito.

Mente preguiçosa, candidatura à demência...

O trabalho, portanto, de qualquer natureza é bênção de Deus que fomenta a vida e desenvolve o ser, auxiliando-o na ascensão aos rumos elevados da imortalidade.

No passado estabeleceu-se a necessidade de adorar a Deus, renunciando-se à convivência social, ao trabalho ativo, entregando-se à meditação.

Quase todos aqueles que se permitiram essa fuga da realidade terrestre perderam-se em penosos conflitos que os afligiam e que acreditavam ser interferência demoníaca. Sem nenhuma dúvida, nas mentes ociosas, os Espíritos frívolos e perversos encontram campo fácil para perturbações variadas.

∽

Jesus deu o mais grandioso exemplo de respeito pelo trabalho.

No período invernoso, em que as viagens e pregações tornavam-se mais difíceis, em razão da aspereza do clima, ele trabalhava regularmente na profissão que herdara de seu pai José, dignificando o labor que proporciona felicidade e progresso.

labor: trabalho

Trabalhar, portanto, é orar, especialmente quando esse serviço ajuda a humanidade no seu crescimento intelecto-moral.

∽

QUANDO SE SERVE,
EM QUALQUER FORMA
DE SOLIDARIEDADE,
HÁ UM SUAVE E DOCE
ENCANTAMENTO
QUE ENTERNECE
O INDIVÍDUO, DANDO-LHE
SENTIDO EXISTENCIAL
E DIGNIDADE HUMANA.
AQUELE QUE NÃO VIVE
PARA SERVIR AINDA NÃO
APRENDEU A VIVER.

26º

Mesmo que não estejas consciente desse sublime compromisso, Deus sempre está contigo, desde o momento em que foste criado.

Deus está contigo em todos os instantes da tua vida, auxiliando-te, inspirando-te, ajudando-te no desenvolvimento espiritual e moral, a fim de que alcances as cumeadas do progresso.

cumeada: ponto mais elevado

Em todos os teus passos e atividades estiveste sob o Seu comando e assim prosseguirás.

Deus é a força geratriz do universo e de tudo quanto existe.

Nada, ser algum, jamais poderá alienar-se da Sua misericórdia nem do Seu amor.

egotismo: apreço exagerado pela própria personalidade; egolatria

A presunção, filha dileta do egotismo, não poucas vezes assoma à consciência do ser pensante que, dominado pela prepotência

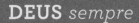
DEUS *sempre*

animal, nega-Lhe a existência, incapaz, em sua pequenez, de compreender o *milagre da vida*.

Prefere ser filho do estúpido *acaso* onde se teria iniciado e se consumirá, a proceder da Divina Progenitura.

Insensatez do psiquismo humano que, diante dos desafios que o propelem ao desenvolvimento dos valores que se lhe encontram em germe, rebela-se contra a força inexorável das Leis, refugiando-se no niilismo, afogando-se no pessimismo...

Tomando atitudes de autossuficiência, impossível de ser mantida, exacerba-se na vã cultura que vem desenvolvendo ao largo dos milênios, para opor-se aos impositivos a que se encontra submetido.

A dor é-lhe algoz imperdoável, em razão da imaturidade intelecto-moral, que aguarda uma existência vazia de enriquecimento

propelir: mover para a frente; impulsionar

inexorável: inflexível; inelutável

niilismo: redução ao nada; inutilidade da existência; absoluta falta de crença

exacerbar: intensificar; agravar

algoz: carrasco

espiritual, preferindo-a fútil e destituída de estímulos para o desenvolvimento ético e iluminativo.

Experienciando mais amiúde a sensação, as suas emoções ainda são primitivas, defluentes dos prazeres nos quais chafurda, olvidando-se do processo inevitável da evolução, mediante a qual são superados os estágios vivenciados no rumo dos altiplanos da imortalidade.

Distanciando-se da contemplação da harmonia cósmica diante da sua percepção, detém-se na insignificância das ocorrências existenciais, valorizando-as além do crédito que lhes deve conceder, enquanto o turbilhão de bênçãos encontra-se-lhe ao alcance para a conquista da impostergável plenitude.

Confessa possuir capacidade intelectual para decifrar as incógnitas da vida, perdendo-se em conjunturas falsas e conclusões infantis, atribuindo tudo ao nada, e supondo-se senhor de todo o conhecimento.

Descomprometido com a realidade, aspira o prolongamento do gozo incessante, como se a máquina orgânica de que se serve houvesse sido elaborada exclusivamente para essa finalidade, não possuindo mecanismos sutis e nobres que se desarticulam quando o pensamento vagueia e nutre-se dos tóxicos da ilusão.

Tentando arrebentar as amarras do atavismo que lhe precede à atual existência, propõe-se à conquista de coisas e de recursos que entulham espaços e estimulam os bancos na sua avareza, temendo o futuro que planeja como sendo a continuação da quimera adulta.

... E por mais que elabore mecanismos de fuga e estabeleça programas de autovalorização, encontra-se, ainda aí, sempre com Deus, mesmo que o ignorando.

~

É certo que compreender Deus torna-se algo impossível na atual conjuntura do processo evolutivo.

O efeito não tem capacidade de penetrar na sua causalidade, entendendo-a, manipulando-a, dispondo dos meios de alterar o

olvidar: esquecer
altiplano: planalto

impostergável: inadiável

incógnita: enigma

atavismo: herança de caracteres de existências anteriores

quimera: fantasia

curso dos acontecimentos. No entanto, sentir-Lhe a presença em todas as coisas é conquista da sensibilidade moral e das conquistas da inteligência que reconhece a sua incapacidade de decifrar todos os *mistérios* à sua volta.

Lentamente, graças à evolução da ciência e da tecnologia, muitos *mistérios* de ontem tornaram-se realidade hoje, e cada dia, em razão das incursões nos diversos campos da vida, mais se compreende a funcionalidade da harmonia cósmica e dos aspectos que formam a vida.

Não há muito, a eletricidade era totalmente desconhecida, embora se encontrasse nos campos fantásticos das ondas de diversas extensões...

Não foi a ciência que a elaborou, mas que a identificou e aplicou-lhe os recursos extraordinários em incontestáveis instrumentos de utilidade e de mais rápido desenvolvimento tecnológico.

Os microrganismos sempre existiram, permanecendo ignorados e dando lugar, em relação às doenças, a imaginosas concepções míticas e ingênuas, até o instante em que foram identificados e perseguidos com segurança, a fim de libertarem a vida que lhe estorcegava na proliferação.

> estorcegar: contorcer-se

O conhecimento dos mecanismos do universo deram mais dignidade ao ser humano, que se tornou capaz de desvendar grande número deles, utilizando-se dos seus inesgotáveis recursos para melhor cumprir com os deveres que lhe dizem respeito.

Quanto mais são descobertas as leis mecânicas que regem o cosmo, mais grandiosos desafios se apresentam na grandeza da sua infinitude.

À medida que são identificadas novas galáxias e registradas outras nebulosas, incontáveis formações de gases, de poeira cósmica, a inteligência humana engrandece-se e o ser pensante, ao invés de apequenar-se, agiganta-se, tornando-se também *deus* e podendo fazer muito mais do que nunca supôs ser possível.

> nebulosa: nuvem de matéria interestelar

... Tudo isso, porém, porque Deus está presente.

O Pai não deseja que a ignorância governe a vida, por isso mesmo encontra-se ínsito no âmago do ser humano, a fim de que se autopenetre e descubra a realidade existencial interna, identificando-se com a grandeza da Criação.

ínsito: intimamente gravado

Desse modo, abre-te conscientemente ao amor de Deus, e permite que o *deus* que és desabroche, facultando-te contribuir em favor de todos aqueles que se encontram na retaguarda do progresso, atados ao desconhecimento e às superstições, perdidos na romagem espiritual, necessitados de ajuda e de bondade.

Transforma a tua vida em um *evangelho de feitos*, de tal modo que todos identifiquem Deus em ti e desejem também alcançá-Lo, mediante a compreensão das Suas sublimes leis que, identificadas, transformam as vidas.

Sob o comando de Deus, nunca te encontrarás a sós, jamais padecerás dificuldades e experimentarás sofrimentos antes considerados absurdos, porque a Sua inspiração te auxiliará a compreender todos os acontecimentos e a trabalhar em favor do processo de liberdade e de espiritualidade.

~

Quando Jesus afirmou que ele e o Pai são Um, desejou explicitar que a Unidade é a única realidade e que todos marcham nessa mesma direção, sem que ocorra a perda da sua individualidade, da essência existencial, do ser espiritual que se é.

Demonstrou que ele havia alcançado o patamar mais elevado que a mente humana pode compreender em relação ao Criador, oferecendo oportunidade para que todos possam alcançar o mesmo nível de evolução.

Assim, deixa-te conduzir por Deus, e tudo se te apresentará rico de bênçãos.

~

DEUS ESTÁ CONTIGO EM TODOS OS INSTANTES DA TUA VIDA, AUXILIANDO-TE, INSPIRANDO-TE, AJUDANDO-TE NO DESENVOLVIMENTO ESPIRITUAL E MORAL, A FIM DE QUE ALCANCES AS CUMEADAS DO PROGRESSO. SOB O COMANDO DE DEUS, NUNCA TE ENCONTRARÁS A SÓS. DEIXA-TE CONDUZIR POR DEUS, E TUDO SE TE APRESENTARÁ RICO DE BÊNÇÃOS.

27

Quando o ser humano deixa de cumprir com os deveres que lhe dizem respeito e que são os instrumentos eficientes para o seu crescimento espiritual, é sempre dominado pela tristeza que deflui da culpa, do arrependimento, do tempo malbaratado na ilusão.

A insaciável busca do prazer termina por perturbar-lhe o discernimento, anestesiando-lhe a razão que se obnubila, levando-o à solidão e à depressão.

De igual maneira, quando se comporta estribado no egoísmo, sempre preocupado com os seus interesses, mantendo distância emocional e física da solidariedade, a ingratidão é-lhe característica definidora do caráter relapso, por ignorar todas as bênçãos de que se faz devedor em relação à vida e a todos os valores que lhe assinalam a existência.

malbaratar: desperdiçar

obnubilar: tornar obscuro

estribar: basear, fundamentar

as BÊNÇÃOS *da* ALEGRIA

Pode-se compará-lo ao filho ingrato da parábola, que solicitou ao pai generoso fosse-lhe concedida a parte a que tinha direito na herança, porque queria ver-se livre da presença bondosa do idoso genitor, que por ele velava.

Soberbo e inexperiente, recebeu os bens valiosos e partiu para o gozo exaustivo em um *país distante*, entregando-se à insensatez e à devassidão.

Cercado de *amigos* do mesmo quilate, insensíveis e exploradores, gastou tudo quanto possuía com rapidez, porquanto, não sabendo precatar-se contra a injunção do abuso, logo foi surpreendido pela escassez, exatamente num momento em que a região passava por terrível conjuntura econômica defluente da seca em predomínio...

soberbo: arrogante, orgulhoso

precatar: acautelar, prevenir

injunção: imposição

Abandonado, porque aqueles que o cercavam estavam interessados nas suas posses e não nele como pessoa, não teve outra alternativa exceto a de buscar um trabalho.

Desabituado com os *labores* que dignificam, vitimado pela ociosidade a que se entregava no comportamento fútil, nada sabia fazer, nem mesmo havia possibilidade de encontrar um serviço digno, e buscando-o com um antigo *comensal* do seu lar, foi encaminhado a uma *pocilga*...

Ali, na condição ínfima de um ser desprezível, por haver desonrado o pai que o amava e desconsiderado a tradição religiosa que abominava os suínos, por serem *imundos*, perdeu toda a falsa alegria a que se entregava, mergulhando em abissal amargura.

Reflexionando, porém, que lhe faltava o alimento mais grosseiro que os porcos disputavam, lembrou-se do lar generoso e do genitor afável que cuidava dos servos com justiça e bondade, tomando a resolução de retornar...

Ante o pensamento nobre, a alegria assomou-lhe à mente e o coração disparou de emoções diferentes.

Caindo em si, nessa maravilhosa viagem de reflexão profunda e de autodescoberta, não *tergiversou*, e empreendeu a marcha de retorno ao lar.

Do anterior jovem risonho e bem vestido, estuante de saúde e de presunção, restavam-lhe pouco, porém enriquecido de humildade e de esperança renovou-se e viajou de retorno ao lar formoso.

Ao vê-lo, a distância, o pai devotado, que sempre o esperara, pois que sabia da sua volta inevitável, correu-lhe ao encontro, abraçou-o com alegria e tomou providências para que lhe fosse restituída a dignidade que abandonara.

Sequer lhe permitiu nenhuma justificativa. Não o tendo impedido de ir-se, sofrendo em silêncio a ingratidão do jovem, nada lhe disse em *reproche* pelo seu retorno, porque a alegria do reencontro estava acima de quaisquer outros sentimentos de censura ou cobrança.

---

labor: trabalho

comensal: frequentador

pocilga: curral de porcos

tergiversar: usar de evasivas

reprochar: fazer censura

O amor nada exige e sempre se irradia em bênçãos de alegria.

~

A mensagem de Jesus é toda feita de alegria.

Ele pode ser chamado como o desbravador do país dos júbilos, oferecendo largamente os tesouros do amor de Deus aos tristonhos viandantes da Terra.

> viandante: viajante

Francisco de Assis, ao segui-Lo, passou a ser cognominado como *Irmão Alegria, Cancioneiro de Deus*.

Isto porque o evangelho, que é a *boa nova de alegria do reino*, é todo uma formulação poética de felicidade, ensinando a maneira segura de vencer-se o abismo da ignorância, saindo-se da treva para a luz, em contínua renovação interior sob as bênçãos da alegria.

Podem defini-la aqueles que eram desdenhados, expulsos do convívio social hipócrita e rigoroso do seu tempo, porque pobres, *homens da terra*, equivocados de vários matizes pelos *pecados* cometidos e pelas transgressões aos injustos estatutos legislativos eram recebidos por ele, que compartilhava das suas aflições e falava-lhes de esperança e de igualdade, após o arrependimento dos seus erros e a mudança de atitude em relação à vida.

> matiz: nuança; gradação

Acolheu-os a todos que se lhe acercaram, ensejando-lhes a perfeita compreensão da valorização das horas e do significado existencial, da oportunidade que fruíam de poder ser felizes, embora a situação humilhante que vivenciavam.

Nunca se envergonhou de conviver com eles, os infelizes, de conceder-lhes a orientação renovadora, o acesso à verdade, de compartilhar o pão e a amizade, produzindo uma incomum revolução dos costumes vigentes, atitude essa que lhe exigiu a doação da vida no madeiro infamante da cruz, que dignificou...

Jesus é o exemplo mais elevado que se conhece do amor e da alegria de viver, tendo conseguido desmistificar o Deus dos Exércitos, apresentando-O como o Pai todo amor e misericórdia, que se rejubila quando um excluído se renova e reabilita-se, estando perdido e sendo encontrado pela sua ternura...

Esse Pai, a que ele se refere em toda a sua mensagem, é o mais extraordinário exemplo de progenitura de que se tem notícia.

Jamais censura ou pune, nunca exige ou atormenta, concedendo sempre oportunidades de refazimento àquele que se compromete com as divinas leis, esperando compassivamente a sua identificação com a verdade.

Seja qual for a situação em que se encontre a *ovelha desgarrada* ou a *dracma perdida*, ao serem encontradas, proporcionam júbilo incomum e abrem espaço para uma festa de largo porte, porque estão novamente onde devem permanecer.

O Seu perdão é feito de reconciliação e de afetividade, ensejando o crescimento moral do réprobo que O deixou de lado, quando ainda iludido pelas paixões dissolventes optou pela ilusão em detrimento da responsabilidade e do dever.

Jamais se enfastia e sempre espera com incomum generosidade porque o Seu é o amor incondicional perfeito.

Quando se compreende o ensinamento do Mestre a respeito desse sublime amor, a alegria toma conta do coração e o ser humano todo exulta, modificando as estruturas do seu pensamento e da sua conduta.

Retorno, pois, ao lar paterno é a proposta da bênção da alegria, após a deserção e o abandono do compromisso de trabalho e edificação espiritual que a todos compete.

Somente assim será possível a experiência libertadora da alegria que proporciona saúde e paz.

~

Se a amargura ou o desânimo, ou ambos, tomam conta dos teus sentimentos, se o desconforto moral assinala as tuas horas, se a melancolia e o ressentimento assenhoreiam-se das tuas emoções, se o pessimismo e a desconfiança estão na tua conduta, procura Jesus quanto antes e reconcilia-te com a consciência.

---

dracma: moeda de prata da Grécia antiga

réprobo: banido da sociedade ou odiado por seus pares

enfastiar: entediar, enfadar

exultar: experimentar e exprimir grande alegria

Refaze o caminho percorrido e retorna ao seu aconchego, deixando a pocilga em que te encontras, refazendo as experiências, a fim de que ele te receba nos braços e *afogue-te em ternura*, libertando-te das algemas perversas do engodo, facultando-te a bênção da alegria plena.

Busca-o hoje ainda, sem postergações, porque talvez amanhã seja tarde demais...

postergação: adiamento

SE A AMARGURA OU O DESÂNIMO, OU AMBOS, TOMAM CONTA DOS TEUS SENTIMENTOS, SE O DESCONFORTO MORAL ASSINALA AS TUAS HORAS, SE A MELANCOLIA E O RESSENTIMENTO ASSENHOREIAM-SE DAS TUAS EMOÇÕES, SE O PESSIMISMO E A DESCONFIANÇA ESTÃO NA TUA CONDUTA, PROCURA JESUS QUANTO ANTES E RECONCILIA-TE COM A CONSCIÊNCIA. BUSCA-O HOJE AINDA, SEM POSTERGAÇÕES, PORQUE TALVEZ AMANHÃ SEJA TARDE DEMAIS...

28

FALSOS CONCEITOS SOBRE A FELICIDADE NA TERRA INDUZEM OS seres humanos a comportamentos totalmente opostos à bênção pela qual anelam.

Dominados pelo hedonismo imediatista, acreditam que a plenitude é um estado que se alcança mediante o poder defluente de qualquer circunstância: político, religioso, monetário, social, artístico ou de todos eles reunidos, enfeixados nas mãos tirânicas da supremacia em relação às demais criaturas.

Todo tipo de poder humano converte-se em tormento psicológico, sendo em si mesmo um conflito de insegurança que propele o indivíduo à ambição de lograr maior domínio do que tem em mente, levando-o quase sempre a posições e condutas arbitrárias.

Esse poder buscado ansiosamente é herança infeliz da força bruta predominante nas faixas mais primitivas da evolução.

anelar: desejar intensamente

hedonismo: prazer como bem supremo; busca incessante do prazer

propelir: empurrar, impulsionar

o TORMENTO do PODER

Alcançando o nível da inteligência, mas não da consciência de si mesmo e do seu significado existencial, o indivíduo acredita que deve ser temido de alguma forma, porque se sente incapaz de inspirar amor, subjugando os demais em razão de não conseguir submeter-se aos limites que lhe assinalam a existência.

Nas relações sociais primitivas são celebradas as conquistas da violência e da arbitrariedade, dando lugar ao surgimento de governantes temidos e detestados, que se tornam cada vez mais arrogantes e perversos, sempre temerosos de perder a posição de dominadores.

Na razão direta em que houve o processo lento e doloroso da civilização com o surgimento dos primeiros códigos de leis e de ética, o poder foi adaptando-se às novas conquistas, alterando a sua maneira de liderança pelo medo, embora ainda permaneçam os atavismos ancestrais em nossa hodierna cultura.

As intermináveis guerras, às quais se atiraram os grupos humanos, na vã expectativa de submeter os outros povos, deixaram marcas sangrentas das aberrações praticadas durante e depois dos combates selvagens.

Com a aquisição da razão, o pensamento filosófico passou a divulgar a necessidade dos direitos humanos, porque a quase totalidade dos seres humanos sempre se encontrou em posição subalterna, dominados e sem quaisquer instrumentos que lhes facultassem a dignificação.

Complôs e intrigas, traições, conluios e armadilhas covardes, calúnias e desacatos em nome da honra têm sido utilizados para a manutenção do enganoso poder que logo passa de mãos, porque a vida física, por mais longa se apresente, é candidata inapelável à degenerescência dos seus órgãos, coroando-se pela desencarnação que a ninguém poupa e a todos iguala na fossa em que são atirados...

O rastro dos poderosos que se impuseram pelos ardis da indignidade em qualquer área humana é sempre assinalado pelo ódio dos coevos, assim como da posteridade que lhes fazem justiça mediante o desprezo a que os relegam.

Esses títeres de memória abominável são responsáveis pelos períodos de obscurantismo cultural e moral, por temerem os camartelos vigorosos do progresso que os desapeiam dos ilusórios tronos de onde governam e gostariam que fossem permanentes.

O ser humano porém avança, mesmo que pelos caminhos mais ásperos, da ignorância para o conhecimento, da selvageria para a educação, da violência para a paz.

O poder, que é fascinante pelos favores que proporciona ao seu factoto, é de grave responsabilidade para quem o exerce.

Nos mais variados campos do comportamento humano destacam-se indivíduos exponenciais que, amados ou invejados, passam,

---

atavismo: herança de caracteres de existências anteriores

hodierno: atual

conluio: trama; ajuste maléfico

coevo: coetâneo (contemporâneo)

títere: governante que representa interesses alheios

camartelo: instrumento usado para quebrar, demolir

desapear: destituir

factoto: aquele que se julga capaz de solucionar tudo

queiram ou não, a exercer influência em relação aos demais que os tomam como líderes e exemplos.

As garantias para o exercício consciente ou não desse destaque são a estrutura moral, a capacidade de discernimento, a fim de não se permitirem a bajulação que envilece o caráter nem entrarem em competições que corrompem.

envilecer: tornar vil, desprezível

A sã consciência dos valores que os caracterizam dá-lhes robustez para prosseguirem no rumo elegido, sem tornar-se presunçoso ou temerário, reconhecendo os limites que possuem e a grande necessidade de mais desenvolverem a capacidade que lhe confere os títulos de enobrecimento.

Quando isso não ocorre, é exercido o poder que submete os outros e os amesquinham, que os necessitam e os desconsideram, que se nutre das suas energias e admiração enquanto os subestimam...

Encontramos essa infeliz conduta naqueles que, despreparados para as vitórias nas áreas em que se movimentam, ao alcançá-las fazem-se prepotentes, avaros, déspotas, tornando-se novos Golias que sucumbirão nos confrontos com os Davis existenciais, que embora desconsiderados os alcançam e os suplantam...

avaro: avarento; que não é generoso

Cientistas e religiosos, pensadores e artistas presunçosos, apesar das façanhas grandiosas que realizaram, não sabendo conduzir-se no poder natural que a vida lhes oferece, são vencidos pelo tempo que a tudo ilusório dilui na inexorável marcha da realidade.

inexorável: inflexível; inelutável

Onde se encontram Pilatos, que humilhou Jesus, os sediciosos membros do Sinédrio que se fizeram responsáveis pela sua crucificação, os reis pomposos e construtores de impérios que foram consumidos, soterrados ou cobertos pelas águas dos oceanos, os hábeis cabos de guerra que semearam o terror no mundo, os intelectuais zombeteiros e os artistas desvairados, os religiosos insensíveis e os políticos que governaram com crueldade?...

sedicioso: revoltoso, insurgente

Sinédrio: corte suprema judia

A morte a todos os venceu, no entanto o Mártir da Cruz, as vítimas das guerras de toda expressão, os vencidos pelas artimanhas e pela astúcia dos instintos ferozes e das inteligências desenfreadas permanecem na memória da Terra como exemplos a serem seguidos, verdadeiros heróis que se glorificaram pela coragem de lutar, perseverando nos seus ideais.

Não é fácil superar a tendência para o poder, para o domínio, para a submissão dos outros aos ditames das suas paixões inferiores.

Pessoas simples, idealistas e lutadores dedicados logo se tornaram conhecidos ou destacados no meio em que se encontram, infelizmente sem as resistências morais para as circunstâncias, derreiam na aceitação do falso poder que supõem agora dispor, e modificam-se, agindo com a mesma insensatez daqueles que antes combateram.

> derrear: curvar

Assim, muitos regimes e credos que, perseguidos, são fielmente exercidos, mas logo que aceitos, adotam os infelizes comportamentos e artifícios daqueles dos quais se afastaram.

O exemplo mais crucial é o do cristianismo antes, quando odiado pelo poder romano, e depois, quando aceito pelo mesmo decadente poder, que nele encontrou as forças para sobreviver por mais um pouco, desaparecendo na razão direta em que ascendeu aos tronos vazios dos antigos perseguidores para a lamentável governança terrestre...

～

Quando Jesus enviou os *setenta da Galileia* para anunciar a Era Nova, deu-lhes o poder de *curar os enfermos, ressuscitar os mortos, limpar os leprosos, expulsar os demônios, de graça havendo recebido, de graça oferecerem*, e recomendando que não se munissem dos valores da Terra que aparentam segurança... (Mt 10:8)

O verdadeiro poder vem do alto, qual o que foi conferido ao Mestre pelo Pai que o enviou.

Infelizes, portanto, as lutas pelo poder, mesmo nos pequenos grupos onde proliferam a presunção, a disputa doentia, a exorbitância da vaidade.

> exorbitância: excesso

Ademais, os Espíritos perversos, quando não conseguem desviar os discípulos sinceros de Jesus do serviço, inspiram-nos, sorrateiros e cruéis, às covardes contendas e combates pelo poder...   contenda: luta

> INFELIZES AS LUTAS PELO PODER, MESMO NOS PEQUENOS GRUPOS ONDE PROLIFERAM A PRESUNÇÃO, A DISPUTA DOENTIA, A EXORBITÂNCIA DA VAIDADE. QUANDO JESUS ENVIOU OS *SETENTA DA GALILEIA* PARA ANUNCIAR A ERA NOVA, RECOMENDOU QUE NÃO SE MUNISSEM DOS VALORES DA TERRA QUE APARENTAM SEGURANÇA... O VERDADEIRO PODER VEM DO ALTO, QUAL O QUE FOI CONFERIDO AO MESTRE PELO PAI QUE O ENVIOU.

29

fissão: cisão, separação

***self*:** indivíduo, tal como se revela e se conhece, representado em sua própria consciência

arquétipo: modelo que funciona como princípio explicativo da realidade material

Desde o momento em que houve a fissão do *self* com o ego, que o eixo de equilíbrio psicológico ficou fragmentado.

O esforço de crescimento intelecto-moral do ser humano deve ser o logro da perfeita identificação desses dois arquétipos com a sua consequente fusão harmônica proporcionadora do equilíbrio emocional.

Infelizmente, porém, remanescendo os instintos agressivos em predomínio na psique humana, o ego assume a diretriz do comportamento, trazendo sempre à tona os conflitos de insegurança, de insatisfação, de morbidez que são decorrência dos períodos ancestrais percorridos antes do surgimento das emoções superiores.

Em razão dessa governança perturbadora, o ego está sempre vigilante e dominador, em luta contínua para manter-se, assessorado pelo medo de perder a posição que desfruta.

o TORMENTO *do* EGOÍSMO

Disfarçando-se com habilidade, torna-se agressivo, porque é receoso, exibe as qualidades que não possui, exatamente para superar o complexo de inferioridade em que estorcega, reconhecendo a sua incapacidade para voos mais altos no conhecimento e na emoção, atribuindo-se direitos e privilégios que teme lhe sejam retirados, pouco, no entanto, preocupando-se com os deveres que lhe dizem respeito.

estorcegar: contorcer-se

É o ego que se cerca de presunção e de avareza, de ciúme e de desfaçatez, de suspeitas constantes e de censuras aos outros, de forma que não se torne conhecido, permanecendo na obscuridade dos seus propósitos enfermiços.

Pode manifestar-se gentil com certa autenticidade, ocultando, porém, interesses mesquinhos, quais os de autopromoção e de exibicionismo, reagindo sempre quando não recebendo a resposta a que aspira nas suas artimanhas. Faz-se, então, adversário soez e persistente de todos aqueles que lhe não concedem o valor que se atribui, podendo tornar-se violento e insano.

Identificado, logo se permite exteriorizar todas as mazelas que lhe são peculiares, tecendo redes de intrigas, fomentando a maledicência, pugnando pela divisão dos grupos, quando então mais fácil se lhe torna o domínio.

O egoísmo é virose perigosa que ataca a sociedade contemporânea, qual ocorreu em todas as épocas da história da humanidade.

Combatido pela ética e pela moral, tem sido motivo de cuidados especiais por todas as doutrinas religiosas, especialmente pelo cristianismo, que nele encontra um perverso adversário da solidariedade, do amor e da lídima caridade.

O espiritismo, na sua condição de restaurador do pensamento de Jesus, tem-no na condição de bafio pestilencial, que necessita de terapia preventiva muito bem elaborada e tratamento persistente depois que se encontra instalado.

Não ceder espaço ao egoísmo, sob qualquer forma em que se manifeste, deve ser a atitude do cristão sincero, do espírita consciente das suas responsabilidades.

Evitar agasalhá-lo em qualquer dos seus disfarces é uma forma segura de precatar-se da sua vigorosa constrição.

Não foram poucos os missionários do bem que se permitiram tombar nas artimanhas nefastas do egoísmo, conforme hoje sucede em todos os segmentos da sociedade.

O altruísmo, que lhe é o oposto, constitui-lhe estímulo vigoroso para a união do eixo psicológico fragmentado, fazendo que o *bem* e o *mal* encontrem a emoção comum do amor que lhes é a meta a conquistar.

~

Das nascentes do ser brotam as emoções, a princípio violentas, como resultado das experiências afligentes, tornando-se a pouco e pouco equilibradas e propiciadoras de felicidade.

Na razão direta em que o Espírito desabrocha a consciência e a perfeita lucidez em torno dos objetivos essenciais da sua existência na Terra, o egoísmo vai diluindo-se e cedendo lugar à solidariedade, por facultar a vivência das emoções mais elevadas, aquelas que santificam o ser no exercício da autêntica caridade.

Passa a reconhecer o seu real valor de aprendiz da vida, facultando-se a solidariedade de que necessita, a fim de mais amplamente penetrar nas razões profundas do existir.

Não se jacta nem se subestima, permanecendo identificado com a realidade que o cerca e procurando alcançar os patamares mais nobres da evolução.

jactar-se: orgulho exagerado; ostentar os próprios ou pretensos méritos e conquistas

A humildade surge-lhe naturalmente enquanto compreende a grandeza da vida e o seu real papel de cooperador na obra magnífica da Criação.

A alegria de viver adorna-o, dando-lhe um suave encantamento em tudo quanto faz e sente, porque se reconhece membro efetivo do conjunto universal.

Enquanto se atormenta nas sensações do medo, da incerteza e das suspeitas, a prepotência alucina-o, porém, quando percebe que a sua segurança encontra-se no ser e não no poder, nos valores internos e não nas aquisições de fora, passa automaticamente para os comportamentos pacíficos e pacificadores.

Colocando-se a serviço do bem, é dúctil à verdade e ao dever, não elegendo postos nem lugares de destaque, mas dispondo-se a trabalhar em qualquer setor em que seja colocado, aí dando mostras da felicidade de produzir.

dúctil: que se pode conduzir

Jesus, na carpintaria de seu pai, aprendeu o ofício modesto e o exerceu, quando era possuidor do conhecimento universal.

Podendo expressar a sua mensagem com o verbo profundo e complexo que decifrasse os enigmas do universo, optou pela singeleza e poesia da linguagem do povo modesto, compondo poemas insuperáveis com os grãos de mostarda, os peixes e os pães, a semeadura e a sega, as redes e as moedas, as ovelhas e o azeite, ultrapassando todos os pensadores do passado e mesmo do futuro.

Ninguém falou com a destreza e magia com que ele narrou as maravilhas do seu reino, estimulou os alquebrados a levantar-se e prosseguir, amparou os tíbios e os fortaleceu, recuperou os *perdidos* e *mortos* dando-lhes significados existenciais.

Enfrentou o farisaísmo com sabedoria e sem presunção, embaraçou os jactanciosos não os humilhando, e pairou acima do biótipo comum pela grandeza de que era portador, não em decorrência de homenagens e honrarias mentirosas.

Recebeu com naturalidade o carinho e o destaque merecido, por meio das lágrimas de uma mulher recuperada do processo obsessivo e destacou que, naquele gesto, ela o embalsamava por antecipação...

A honraria foi maior para aquela que lhe beijou os pés e os ungiu com perfume do que para ele próprio...

... E, no entanto, é o Rei solar!

Recorda-te que a pérola pálida e preciosa é uma defesa do organismo da ostra à agressividade do grão de areia no seu organismo. Silenciosa e continuamente, o animálculo envolve o invasor na exsudação da sua mucosa ferida e abençoa-o com deslumbrante beleza.

A humildade realiza o mesmo, quando o egoísmo tenta espezinhá-la, submetê-la e destruí-la.

Examina as nascentes da alma e extirpa o egoísmo no seu nascedouro, trabalhando sem cansaço pela tua ascensão na obra de amor que tens pela frente, mantendo-te altruísta e solidário em tudo.

Com esse poder defluente do esforço de ser melhor, alcançarás a emoção afetuosa da alegria de autossuperação das tendências infelizes, logrando as bênçãos da verdadeira fraternidade.

---

sega: ceifa, colheita

alquebrado: que se apresenta curvado, em razão de doença, velhice ou cansaço

tíbio: fraco

jactancioso: quem se manifesta com arrogância; orgulhoso

biótipo: caractere do indivíduo

ungir: untar

animálculo: pequeno animal

exsudação: líquido que, saindo pelos poros de uma planta ou um animal, adquire consistência viscosa na superfície

EXAMINA AS NASCENTES DA ALMA E EXTIRPA O EGOÍSMO NO SEU NASCEDOURO, TRABALHANDO SEM CANSAÇO PELA TUA ASCENSÃO NA OBRA DE AMOR QUE TENS PELA FRENTE, MANTENDO-TE ALTRUÍSTA E SOLIDÁRIO EM TUDO. COM ESSE PODER DEFLUENTE DO ESFORÇO DE SER MELHOR, ALCANÇARÁS A EMOÇÃO AFETUOSA DA ALEGRIA DE AUTOSSUPERAÇÃO DAS TENDÊNCIAS INFELIZES, LOGRANDO AS BÊNÇÃOS DA VERDADEIRA FRATERNIDADE.

Recorrendo à sabedoria de Paulo, em razão das suas memoráveis *Epístolas*, que disseminaram e preservaram o pensamento sublime de Jesus na sociedade do seu tempo, e que eram lidas e copiadas com ternura pelos afeiçoados discípulos, é perfeitamente saudável que repitamos a conduta do Apóstolo dos Gentios ante as dificuldades e os desafios destes modernos dias de cultura e de civilização, embora a impossibilidade de repetir-lhe a sabedoria.

Epístola: cada uma das cartas ou lições dos apóstolos dirigidas às primeiras comunidades cristãs

Apóstolo dos Gentios: Paulo de Tarso

Queridas irmãs e queridos irmãos em Cristo:

Que permaneça em vossa mente e em vosso coração a paz que deflui da consciência tranquila como efeito da conduta reta e dos pensamentos dignos.

A sociedade hodierna vive momentos graves na história do seu processo evolutivo.

hodierno: atual

CARTA aos CRISTÃOS MODERNOS

As incomparáveis conquistas da ciência e da tecnologia, do direito e da ética colocam-na no dantes jamais esperado patamar do progresso, oferecendo-lhe conforto e prazeres nunca antes alcançados, ao mesmo tempo abrindo-lhe horizontes de inconcebíveis possibilidades de conquistas gloriosas em relação ao futuro.

Nada obstante, pairam sob os seus céus róseos e transparentes as ameaças do horror e do desespero que lentamente alcançam os seus membros descuidados, atirando-os uns contra os outros e fazendo-os mergulhar no fundo poço das aflições superlativas.

As bênçãos da comunicação virtual, por exemplo, ensombram-se com a facilidade com que se difundem o crime, o terror, o despautério, envolvendo crianças, jovens, adultos e idosos nas suas teias perversas e constritoras, que os atam à marginalidade...

Competindo com a facilidade de ampliar as informações em

despautério: dito ou ação absurda, grande tolice

constritor: fazer pressão; oprimir

torno do belo, do bom e do saudável, os enfermos morais utilizam-na para a anarquia, a vulgaridade agressiva, a destruição.

Armas e equipamentos que promovem a desgraça encontram-se ao alcance de qualquer pessoa que lhes examine os *sites* cruéis, ao tempo em que são violados os códigos secretos das criaturas e das instituições que perdem sua identidade, passando a ser exploradas habilmente pelos famigerados *hackers*.

As facilidades para os *e-books* que promovem a cultura também ensejam a perversão dos costumes, o aumento da pornografia e do erotismo, estimulando com vigor os instintos primários dos seus leitores em detrimento da razão e da consciência ilibada.

Os cidadãos, aturdidos com o progresso rápido que não logram assimilar e deter por um momento, são devorados pela ansiedade, atirando-os à drogadição, ao sexo vulgarizado, ao alcoolismo destruidor em mecanismos de autodestruição, por não suportarem as pressões que os esmagam de todos os lados.

A violência de todo matiz, especialmente o furto e o roubo, a agressão e o homicídio com requintes de crueldade atemorizam, transformando as ruas e avenidas elegantes do mundo em antros de perdição e de vandalismo.

Os esportes, à semelhança do passado em Roma, divertem as massas, enriquecem os novos *gladiadores* e os seus *patrões*, divertem e geram fanáticos temíveis e destruidores.

Cansados da bajulação que lhes chega e do excesso que passam a dominar, esses jovens desestruturados psicologicamente, explorados pelos mafiosos de todos os tipos, tombam nas armadilhas dos profissionais do sexo vil, de administradores corruptos dos seus bens, sendo usados, e quando diminuem as *performances* são excruciados e atirados ao obscurantismo, caso eles próprios não se hajam desgastado física, moral, emocional e psiquicamente...

A história das civilizações do passado, suas grandezas e misérias, seus poderes de um momento e sua decadência logo depois, não serviu de lição para os novos césares e governantes arbitrários,

---

hacker: termo vulgarizado para denominar o especialista em informática que usa seu conhecimento para interesses ilícitos; contudo, dentro do meio computacional, *hacker* tem uma acepção positiva, identificando um perito; nessa área, quem pratica atividades ilegais, usando do seu grande conhecimento, é chamado *cracker*

e-book: livro em suporte eletrônico, especialmente para distribuição via internet

matiz: nuança; gradação

excruciar: atormentar, martirizar

que continuam ameaçando de aniquilamento o mundo com as suas armas de altíssimo poder destrutivo.

Promove-se a democracia com a força dos exércitos, disfarçando ou tentando dissimular os interesses esconsos que tais guerras objetivam.

esconso: oculto

Nos dias transatos, ao lado dos inimigos dos poderosos, que sempre surgem e os ameaçam, foram as estruturas morais dos nobres, burgueses e governantes que perderam o sentido psicológico, levando os seus membros a chafurdarem nos fossos da sensualidade, do canibalismo, da volúpia pelo gozo exacerbado, afogando em sangue todos quantos se lhes opunham...

transato: passado

exacerbar: intensificar; exagerar

A decadência de um povo tem início na degradação do seu governo, das suas autoridades.

Para despertar a consciência individual e coletiva, que se encontrava obumbrada, Jesus veio à Terra nos dias tormentosos e trouxe a mais extraordinária mensagem de amor e de dignificação humana, nunca antes ou depois apresentada. Apesar disso, porque feria os interesses sombrios dos poderosos, ele foi crucificado...

obumbrar: obscurecer

Tentaram silenciar-lhe a voz, matando-o, como sempre fazem os perversos, olvidando que ideias somente são combatidas com outras superiores, e como as suas eram normas para a felicidade humana, ultrapassaram o tempo, arrastaram multidões, para logo depois serem mutiladas, adaptadas aos interesses mesquinhos dos imperadores e chefes religiosos, sem que, no entanto, desaparecessem.

olvidar: esquecer

Aquelas lições exaradas na cátedra da natureza e vivenciadas no seu exemplo conseguiram superar todos os mecanismos constritivos e adulteradores, permanecendo como estrelas apontando rumos na noite dos tempos, para serem ressuscitadas pelo *Espírito de Verdade*, conforme ele o prometera.

exarar: registrar

cátedra: disciplina, ramo de conhecimento

constritivo: que faz pressão, oprime

Chegado o momento anunciado, as *Vozes dos Céus* desceram à Terra e passaram a conclamar os seres humanos à ordem, ao dever, ao amor olvidado e submetido pela hanseníase do egoísmo.

Os ouvidos e a visão do mundo no entanto ainda se encontram incapazes de escutar e de ver a realidade, compreendendo a situação em que a barca terrestre navega, sofrendo as tempestades deste momento e quase soçobrando...

A empáfia e o autoritarismo dos transitórios viajantes não lhes permitem a compreensão e a reflexão em torno dos compromissos de todos para com a vida e o próximo, preferindo a anestesia da razão pelos tóxicos do gozo exacerbado, diante do medo que têm dos enfrentamentos com a consciência e o si profundo.

Apesar da situação afligente e ameaçadora, correm os ventos da esperança e da alegria, soprados pelos mensageiros da imortalidade, que se encontram vigilantes, trabalhando os Espíritos lúcidos para que assumam as suas responsabilidades e laborem em favor dos melhores dias do porvir, que podem ser alcançados.

Cabe aos cristãos novos proceder de maneira compatível com os ensinamentos do Mestre de Nazaré, revividos e atualizados pelos embaixadores espirituais, de forma que a dor e o desespero fujam por fim, envergonhados da Terra, cedendo o lugar à alegria e à felicidade que estão reservadas para todos os servidores do bem.

Reconstruir a cultura dentro de padrões morais saudáveis, aplicando os recursos valiosos já conquistados em benefício da sociedade, em vez dos grupos econômicos que exploram e exaurem o povo, constitui compromisso inadiável.

Ter a coragem de enfrentar, se for o caso, o opróbrio e a humilhação na defesa dos fracos e desvalidos, erguendo-os da miséria em que se encontram para os níveis da educação e da oportunidade de crescimento, lutando pacificamente pela instalação da justiça social em todos os campos da sociedade, representa estar vinculado ao programa de dignificação humana.

A evolução moral é lenta, fixando-se pela repetição, superando os vícios clamorosos que se encontram em predomínio no cerne do ser, será a responsável pela mudança dos valores atualmente aceitos e considerados, em que se destacam a astúcia e o atrevimento,

soçobrar: naufragar; afundar

empáfia: orgulho vão, presunção

laborar: trabalhar

exaurir: esgotar completamente

opróbrio: degradação social

o desrespeito e a vilania, substituídos pela ética do bem, da fraternidade e do mérito de cada um.

Não mais tergiversar ante o dever ou negociar com a mentira e o ultraje, somente para manter-se entre os triunfadores da ilusão, com eles conivindo.

Mais do que nunca, o senhor necessita de mulheres e homens dispostos a dar-lhe, se necessário, a vida, em holocausto de amor e de silencioso sacrifício.

Não mais existem os circos, as praças para as execuções dos *hereges* e *infiéis*, as fogueiras e os cárceres sombrios para aqueles que são dedicados a Jesus. Pelo menos na forma, no entanto permanecem no conteúdo, pela maneira como são vistos e considerados os seus servidores autênticos, sorvendo os amargos frutos da intriga e da insensatez, da perseguição por inveja e das tribulações morais...

É indispensável viver o evangelho em toda a sua magnitude.

Não se vos impõe o abandono do mundo, em forma de fuga psicológica, tentando ocultar os conflitos a serviço de Deus, como aconteceu em vários períodos do cristianismo.

Deve-se viver com normalidade, enfrentar as situações difíceis com honradez, permanecendo vinculados a Jesus em todos os momentos.

Quando não se age dessa forma e abraça-se-lhe a doutrina, certamente é o que dela fizeram os seres humanos, não o que foi ensinado por Jesus.

No ardor dos testemunhos e das provações, é indispensável manter-se a alegria de viver, demonstrando que o tributo da justiça aos que são aplicados e ricos de amor é a paz da consciência que se enfloresce de júbilos.

Desse modo, cultivai as expressões simples da existência, a generosidade para com todos e para com a natureza, mantendo-vos igualmente modestos, desataviados, sem as complexidades que perturbam a essência do ser espiritual.

Desenvolvei a solidariedade entre todos, especialmente com os

vilania: ofensa

tergiversar: usar de evasivas

conivir: condescender

holocausto: imolação

desataviado: desprovido de adorno, de enfeite

membros da grei espírita, onde desenvolveis os sentimentos e vos habilitais para a luta renovadora.

grei: comunidade

Evitai o ressentimento e o melindre, a maledicência e a inveja, porque todos eles *corrompem o coração* e entorpecem o discernimento, embriagando o ser com os tóxicos do egoísmo exacerbado.

Sede afáveis, gerando simpatia sem afetação e ternura sem pieguismo onde quer que vos encontreis.

Quem conhece Jesus, conforme desvelado pelo espiritismo, lentamente torna-se-lhe um verdadeiro êmulo, qual sucedeu ao *pobrezinho de Assis*.

êmulo: que nutre admiração por alguém, imitando seus exemplos

... E em todas as circunstâncias em que vos encontreis, cantai hosanas ao senhor pelos vossos atos.

hosana: saudação jubilosa

O século é perverso e não tem sentimentos, portanto indiferente a tudo quanto vos aconteça.

Aí estão as indústrias do divertimento, da banalidade, da insensatez, da exploração de todo gênero, arrastando os incautos e levando-os de roldão no rumo do abismo da frustração.

incauto: imprudente; ingênuo

Tende tento e esparzi a luz da verdade.

tento: juízo

Sede fiéis ao compromisso assumido desde antes do berço e levai-o adiante em hinos de louvor e de ação como nos primeiros dias do martirológio que ficaram no passado.

martirológio: lista de mártires

Nunca temais aqueles que somente alcançam o corpo e nada podem fazer ao Espírito.

Jesus seguirá convosco e em todos os momentos senti-lo-eis.

Que ele vos abençoe e vos guarde em sua paz.

A servidora de sempre,

Joanna de Ângelis

Paris, 12 de julho de 2010

EVITAI O RESSENTIMENTO E O MELINDRE, A MALEDICÊNCIA E A INVEJA, PORQUE TODOS ELES *CORROMPEM O CORAÇÃO* E ENTORPECEM O DISCERNIMENTO, EMBRIAGANDO O SER COM OS TÓXICOS DO EGOÍSMO EXACERBADO. SEDE AFÁVEIS, GERANDO SIMPATIA SEM AFETAÇÃO E TERNURA SEM PIEGUISMO ONDE QUER QUE VOS ENCONTREIS.

ÍNDICE

A
abrolho 100
acaso 165
acerbo 149
acólito 47
acúleo 120
acume 147
aduana 120
adusto 53
adversário 119, 121
   comportamento diante 119
   estímulo 120
   exultar por tê-lo 121
adversários, mestres oportunos, Os 117
adversidade 119
Agostinho 130
agressividade
   como vencê-la 30
   doença da alma 28
   influência de Espíritos 29
   medo ancestral 28
Agressividade 27
agricultor 147
alegria 76, 79
alegria de viver 72, 78, 193
algoz 137, 165
alijar 40
Allan Kardec 12, 53, 96, 161
alma gêmea 82
alquebrado 186
altiplano 116, 158, 166
altos cargos 46
altruísmo 184
amar a Deus 107
amolentamento 57
amor 82, 173
   alavanca propulsora do bem 131, 133
   aparente fragilidade 130
   compromissos 83
   convivência 80
   diante da ciência e da tecnologia 80

   distância 84
   divino 24, 174
   energia transformadora 129
   entrega 84
   espontâneo 132
   evolução 83
   exemplos 130
   expressões 83
   fomentando o progresso 131
   fonte de sabedoria e de iluminação 155
   fonte inexaurível 132
   força 128
   força de aglutinação 128
   forma de religiosidade 156, 157
   imaturidade 82
   instrumento divino 131, 133
   liberdade 83
   marcas na história 125
   necessidade 156
   origens 128
   poder 129
   sentido e significado para a vida 132
   sexo 84
   significado libertador 107
   significado na existência física 132
   triunfo sobre os maus 130
   verdade 125, 126, 127
anelar 9, 21, 82, 88, 113, 120, 146, 176
anelo 70
anfractuosidade 112, 147
animálculo 186
animália 132
anorexia 64, 106
Ânsia de saber 93
antagonismo 27
antínomo 136
anuir 156
aparvalhante 29
aposentadoria 161
Apóstolo das Gentes *ver* **Paulo, apóstolo**

Apóstolo dos Gentios *ver* Paulo, apóstolo
aquiescer 38
armadilhas 38
armas inteligentes 64
arquétipo 17, 89, 182
arrependimento tardio 112
arrotear 110
arroteio 113
atávico 89
atavio 78
atavismo 74, 154, 166, 178
áulico 72
autoamor 84
autocídio 124
autocompaixão 148
autoconhecimento 107
autoconquista 8
autocrescimento 149
autoiluminação 149
autopreservação 125
autossuficiência 165
autossuperação 186
avaro 179
azorragar 41

B
bafio 184
bálsamo 76
báratro 154
bárbaros 123
Beauvoir, Mme. 80
Beethoven 77
bem 108, 109
 fatalidade 158
 força diante do mal 126
bem e amor 138
bênçãos da alegria, As 171
bênçãos de Deus, As 15
Biblioteca de Alexandria 104
big bang 16
bioética 67, 124
bólide 64
Braille 77
brocardo 93
bulhento 76
bulimia 64

C
calhau 42
calidoscópio 128

calmaria 148
calvário 52
Calvário 46
camartelo 127, 148, 178
capitular 39
cardo 42, 113
carreiro 52
Carta aos cristãos modernos 189
casamata 131
cataclismo 34
cátedra 191
cáustico 35
celeridade 27
César 22
cidadão 160
ciência e tecnologia
 amor 67
 conquistas 65, 167, 189
 novos problemas decorrentes 65
ciladas
 comportamento diante 42
 Espíritos infelizes 40
 mundo espiritual inferior 40
 objetivo 40
 trabalhadores do bem 42
Ciladas 39
cingir 59
citadino 14
coetâneo 10
coevo 178
colheita 24
Colombo 148
Com alta significação 45
comensal 106, 172
comportamento depressivo 59
comportamento humano 26
compreensão e respeito *versus*
 intolerância e fanatismo 136
computação 106
comunicação virtual 63
 uso 189
congênito 87
conhecimento
 aplicação 93
 versus ação 94, 97
 versus amor 96
 versus experiência 94, 97
conhecimento espírita 98
conivir 193
conjectura 59

conluio 178
**conquistas do conhecimento
   e da razão** 8
conquistas externas 59
consciência 153
consciência da sobrevivência 88
consciência de sono 111
constrição 184
constritivo 191
constritor 60, 189
consumismo 9, 140
consumpção 72
contenda 181
conto oriental 94
contributo 46, 78, 137, 143
contubérnio 29
convivência social 26
cornucópia 9
corpo
   ágil 162
   dádiva por ser perfeito 77
   exaltação 20
corte 47
cracker 64, 190
craveira 40
crença religiosa 152
crer
   sem entender 154
   versus saber 18, 19
crescimento intelecto-moral 71
Criação
   negação da racionalidade 148
   teorias 16
**criatura unida ao Criador,
   jornada evolutiva** 75
cristãos novos 192
cristianismo 9, 180, 184
cromo 78
cruz 173
cultos primitivos 89
cultura contemporânea 140
cumeada 131, 164

D

Davi 179
defraudar 108
deletério 29
Delfos 107
democracia com exércitos 191
denodado 110

deotropismo 129
deperecimento 89
depressão
   causa 60
   doença do espírito 58
   finalidade essencial 58
   processo 60
   significado 59
   superação 61
derrear 180
desaire 56
desamparo 146
desânimo 112, 115
desapear 126, 178
desar 99
desassisado 80
desataviado 193
descalabro 100, 119
descontrole emocional 26
descontrole espiritual 26
descoroçoar 102
desemprego 62
desencarnação 178
desforçar 28, 102, 143
desiderato 52
despautério 189
destruição 35
desvelo 48
deus 168
Deus
   acompanhamento 114
   adoração equivocada 162
   bênçãos 18
   comando 146, 151
   compreender 166
   conceito 18
   conceito com Jesus 17
   conceituações primárias 17
   conflitos a serviço 193
   crença 14
   presença 15, 164
   sob Seu comando 168
   viver em sintonia 19
Deus sempre 165
dever
   cumprimento 150
   não cumprimento 170
Dez mandamentos 155
diapasão 116
diáspora 126

Dificuldades na tarefa 111
dínamo 83, 138
disjunção 88
distimia 60, 77
distonia 58
ditoso 66, 106, 109
divulgação do espiritismo 110
divulgação espírita 102
doente 102
dom da alegria 78
dor
   algoz 165
   não compreendida 100
dracma 174
dúctil 185
dulcificador 130
dulcificar 42

E
e-book 190
Eclesiastes 88
efêmero 48, 126
ego
   assume o comportamento 182
   desmascarado 184
   disfarce 183
   fissão com o *self* 182
   interesses mesquinhos 183
   luta por manutenção 182
egoísmo 170, 184
   atitude do cristão, do espírita 184
   desabrochar da consciência
      e da lucidez 185
egotismo 13, 164
emoções 184
empáfia 192
êmulo 194
emurchecer 137
endógeno 58, 144
energia vital 89
enfado 28
enfastiar 75, 174
enlear 40
ensementação 110, 147
ensoberbecer 130
Entrega-te a Deus 9
entusiasmo
   diante da vida 36
   significado 35
Entusiasmo 33

entusiasmo espiritual 34
envilecer 38, 179
Epístola 188
equanimemente 160
equanimidade 144
equidade 95
erotismo 10
erraticidade 42, 112
escândalo 10
esconso 191
escrita rupestre 89
escusar 23, 98
esfaimado 90
esparzir 12, 22, 84, 99, 117
espírita, divulgação do evangelho 22
espiritismo 11, 23, 156, 184
   conhecimento 12
   fundamentação 155
   resposta do amor de Deus 155
Espírito
   conhecimento intelecto-moral 17
   desabrochar da consciência
      e da lucidez 185
   influência na agressividade 29
   renascimento no corpo 77
Espírito de Verdade 96, 191
Espíritos enfermos 111
Espíritos infelizes
   ciladas 40
   mecanismos de atuação 40
espúrio 26, 131, 137
estado numinoso 88
estertorar 20
estiolar 20
estirpe 136
estoico 148
estorcegar 70, 77, 161, 167, 183
estribar 170
estupor 99
evangelho 173
evangelho de feitos 168
evangelho segundo o espiritismo, O 96
evolução 11, 149
   apoio superior 149
   diferenças entre os seres 118
   processo 146
evolução moral 192
exacerbar 21, 165, 191
exarar 53, 191
exaurir 192

excruciar 190
existência
   descoberta do objetivo essencial 158
   programa 112, 115
existência física 34
existência humana 68
existência terrena 54, 55
exógeno 58, 144
exorbitância 180
experiência iluminativa 150
exsudação 186
exultar 54, 78, 95, 121, 174

F

Facebook 10
factível 45
factoto 178
fadar 116
fanático
   imposição de ideias 136
   indiferente 136
fanatismo 135
felicidade 68
   alegria 79
   falsos conceitos 176
   ilusória 69, 70
   mapa 151
fé religiosa, objetivo 152
fidelidade ao compromisso 194
filiação divina 165
filósofos idealistas
      gregos e romanos 107
fissão 182
fortuito 81
fragor 96
Francisco Cândido Xavier 10
Francisco de Assis 10, 78, 173
fugacidade 27
fugaz 70
funesto 36, 89, 142
furibundo 40

G

Galileu 16
Gandhi 148
ganga 126
gema 54
genoma humano 15
gentileza e liberdade *versus*
      intolerância e fanatismo 138, 139

Golias 179
gozo incessante 166
grandes místicos orientais 107
grassar 27, 101
gregário 47
grei 194
guerra 178

H

hacker 64, 190
harmonia cósmica 166
hediondez 124
hediondo 29, 66, 86, 126, 136, 138
hedonismo 176
Hellen Keller 77
herói 180
heróis do sofrimento 77
história do lavrador 14
hodierno 32, 178, 188
holocausto 24, 89, 128, 193
   por Jesus 24
homem
   comportamento pós-calamidade 33
   fuga da responsabilidade 33
homiziar 42
hosana 194

I

ideais de enobrecimento 137
   sintonia entre os indivíduos 116
idealista 137
ideia nova, opositor 138
ignaro 126
ignorância 98
ignorância e vida 168
iluminação interior 74
iluminação íntima 120
iluminar consciências 102
ilusões do ter e do poder 70
imediatismo 140
imo 100, 106
impérios, marcas na história 123
impostergável 166
impulso, crescimento 158
inamistoso 36
incauto 27, 40, 194
incensório 47
incoercível 128
incoercível poder do amor, O 129
incógnita 17, 93, 166

inefável 23
inerme 39, 77
inescrutável 66
inexaurível 128, 155
inexorável 165, 179
infelicidade 114
inferioridade moral 76
informações, volumosa massa 92
ingente 72
iniludível 155
injunção 59, 171
inopinado 39
insidioso 28
ínsito 144, 149, 168
instinto 152
instinto humano 106
intelectual 94
inteligência, conquistas 56
intolerância 134
intolerância e fanatismo
   versus compreensão e respeito 136
   versus gentileza e liberdade 138, 139
Intolerância e fanatismo 135
intolerante
   imposição de ideias 136
   indiferença 136
intolerantes e fanáticos 138
introverter 76
inventos tecnológicos 64
investidura 46
invidência 102
invidente 77
iracundo 41
Irmão Alegria, Cancioneiro de Deus 173
irrupção 140

J
jaça 82
jactancioso 186
jactar-se 185
Jean Paul Sartre 80
Jesus 11, 13, 17, 19, 22, 30, 36, 41, 46, 53, 54, 72, 78, 91, 107, 111, 112, 114, 119, 126, 127, 130, 132, 155, 179, 181, 184, 188, 192, 193, 194
   acolhimento de todos 173
   anúncio da Era Nova 180
   assistentes na divulgação 47
   buscar 174
   comportamento de quem o encontrou 78
   convivência com os infelizes 173
   definição 23
   desmistificação do Deus dos Exércitos 173
   despertar a consciência individual e coletiva 191
   diante dos desprezados 47
   doutrina de amor e de misericórdia 138
   Embaixador de Deus 155
   ensinamento sobre o amor 174
   evangelho 67
   exemplo de amor e de alegria 173
   intolerantes e fanáticos 138
   mensagem de alegria 78, 173
   mensagem em linguagem do povo modesto 185
   mensagem libertadora 117
   messianato 155
   ministério 150
   missionários 10
   obreiro 42
   ofício modesto de carpinteiro 185
   plano secundário 22
   prática do amor 132
   respeito pelo trabalho 162
   servidores 12
   suas ovelhas 23
   tentativa de silenciá-lo 191
   unidade com o Pai 168
Joanna de Ângelis 13
   apresentação da obra 8
   carta aos cristãos modernos 188
João da Cruz 10
joeirar 130
jornada evolutiva 71
jornada humana 159
jornaleiro 38
José 162
jovens desestruturados psicologicamente 190
Jung 18
justiça sobre o mal 125

K
Kepler 16

L

labor   53, 74, 92, 140, 162, 172
laboral   161
laborar   77, 192
lamentação   150, 151
Laplace   16
látego   100
lei de causa e efeito   100
lei do repouso   161
lei do trabalho   161
leis de Deus   101
Libertação gloriosa   99
líder   178
   consciência dos valores   179
líderes covardes   124
lídimo   184
linfa   132
litúrgico   89
Livingstone   131
livre-arbítrio   137
livro dos Espíritos, O   161
livro dos médiuns, O   53
livro, objetivo deste   12
lobos, refrão popular   38
lógica   153
Lucas, 4:18   79
lúdico   82
luminífero   12, 102
luta   147

M

Madre Teresa de Calcutá   10
mal
   comentar sem opor   101
   evitar   101
   existência   24, 25
   temor   52
malbaratar   59, 170
malsinar   118
mansidão   30
martirológio   194
matéria
   esquecimento e comando do instinto   152
   predominância   152
materialismo   10, 18, 154
Mateus
   5:5   30
   10:8   180

matiz   83, 100, 155, 173
mau   24, 25
mausoléu   90
Maximiliano Kolbe   130
médium
   calvário   52
   origem das dores   51
mediumato   52
mediunidade
   com Jesus   53
   conceito equivocado   50
   contribuição   52
   estudo   53
   exercício evitado   50
   faculdade neutra   50
   frutos do exercício responsável   51
   objetivo da dor e do testemunho   54
   queixas   54
   responsável   52
   sem serviço   53
   servindo com humildade   46
Mediunidade responsável   51
medo   125
   sentimentos gerados   125
medrar   134
mendaz   119
mente
   ativa   162
   necessidade de exercício   162
   ociosa   162
   preguiçosa   162
messianato   155
miasmático   101
mídia   29
mimetizar   101
ministério   114
mister   94
modernas doutrinas psicológicas   107
modorra   60
Moisés   155
monoamina   143, 160
montra   46
morbífico   136
morbo   57
morboso   61, 136

morte
    dissimulação 90
    igualdade 48
    mascaramento 86
    medo 89
    mitos e arquétipos 89
    postura diante 90
    significado real 87, 91
    sono fisiológico 89
    visão 86
mouco 114

N
Napoleão Bonaparte 16
narcisismo 94, 135, 140
nascentes do amor 132
nascituro, contato com a mãe 160
nebulosa 167
nefando 100
néscio 71
nesse comenos 60, 126
neuropeptídio 60
niilismo 154, 165
Nova Era 12
nudez 10
numinoso 88

O
obelisco 122
obnubilar 170
obumbrar 191
O Consolador 11
    anúncio 156
ocorrências psicossociais 58
olvidar 152, 166, 191
olvido 21
operário mediúnico 54
operários 44
opimo 44, 54
ópio para as massas 18
oportunidades 78
opróbrio 138, 192
Orkut 10
ostra 186

P
pandemia 57, 64
Pandemia depressiva 57
pandêmico 101, 140
pandemônio 23

parábola do filho ingrato 171
paradigma 127, 137, 156
paradoxalmente 56
paradoxo 34, 66
paradoxo do século 66
passaporte para a vida 87, 91
Pasteur 77, 131
Paulo, apóstolo 78, 114, 188
    Apóstolo das Gentes 13
    Apóstolo dos Gentios 188
paz 30
pequenas contribuições 44
perda do sentido existencial 66
perdão do Pai 174
periclitar 29
périplo 68
perquiridor 53
perseguição 119
personalismo 148
pessoa-biblioteca 94
Pilatos 126, 179
piloti 108
placa tectônica 34
planificação 45
plenitude e poder 176
pocilga 172
poder 176
    consciência de valores 179
    esforço de ser melhor 186
    sem consciência de valores 179
    sem resistência moral 180
poderosos vencidos pelo
    tempo 126, 179
poder temporal 156
pornografia e erotismo 190
postergação 175
postergar 93
povo, estrutura moral 161
praticidade 153
prazer 8
prazer sensual 82
precatar 171, 184
primevo 8, 118, 125
prioridades 93
prisco 28, 106
probidade 26
progenitura, exemplo maior 174
progresso 150
progresso rápido 190
prole 82

prolongamento da vida   87
propelir   158, 165, 176
provação coletiva   32
proveta   77
psicopatologia   58
psicosfera   117
psicótico   87
publicações, qualidade   13
pugnar   184
pulcritude   11, 23
pulcro   24
pusilânime   48, 119

Q
quimera   48, 166

R
rastro dos poderosos   178
realidade   192
reclamação   150, 151
reencarnação   160
referto   94, 124, 136
relação social primitiva   177
relacionamento
   convencional   82
   sem afetividade   27
   sem convivência contínua   80
religião
   destituída de amor, compreensão e bondade   154
   finalidade precípua   74
   força política   154
   necessidade de lógica e prática   153
   valores ilusórios   22
religião cósmica do amor   157
Religião cósmica do amor   153
renovação   35
repasto   80
repouso   161
réprobo   48, 174
reprochar   172
reprochável   86
ressumar   9
retorno ao lar   174
rincão   47
robótica   62
rupestre   89

S
saber   93
versus crer   18, 19
sanha   41, 124
Santa Mônica   130
saúde e alegria   78
sedicioso   179
sega   24, 186
segurança   185
seixo   112
self   182
semeador   22
semear em solo não preparado   110
Sementes de luz   21
seminário   147
sentido existencial   72
sentimento   83
sentimentos de preservação   125
Sentimentos e afetividade   81
ser
   alegre   76, 79
   esclarecido   100
   existencial   71
   fisiológico *versus* psicológico   118
ser humano
   avanço   178
   consequências por ser aeiçoado ao bem   120
   crescimento intelecto-moral   182
serviço   113
servir   98, 113, 158, 163
   provérbio   160
sicário   123, 135
significado existencial
   consequências   72
   descoberta   71, 73
significado existencial, O   69
simulacro   41
sinapse   60
Sinédrio   126, 179
sísmico   32
sistema límbico   142
soberba   13, 46
soberbo   15, 171
Sob o comando de Deus   147
sociedade   161
   convulsão   20
sociedade atual   188
   ameaças do horror e do desespero   189
   sofrimentos   32
sociedade do terceiro milênio   108

soçobrar 192
Sócrates 107
soez 184
sofrimento lapidador 112
sórdido 124
Steinmetz 77
suave encantamento de servir, O 159
sucesso 21

T
talante 135
tecnologia
    desemprego 62
    frustração 108
    instrumento 64
    primeiras conquistas 62
Tecnologia e responsabilidade 63
temor
    incapacidade de amor 177
    versus respeito 124
Temor da morte 87
Templo de Apolo 107
tempo da colheita 113
tenacidade 59
tento 194
Teoria e prática 105
teorias
    inspiradas por Deus 108
    origem 106
    qualidade 104
    saturação 108
    veneráveis 109
ter e poder 110
Teresa D'Ávila 10
tergiversar 172, 193
Terra
    processo de evolução 34
    transformação em mundo de regeneração 35
Tibério 127
tíbio 186
tirano 124
títere 137, 178
Tito 126
tormento do egoísmo, O 183
tormento do poder, O 177
trabalhar 162
tragédia da depressão, A 141
transato 28, 51, 71, 191
transcendental 35, 70, 138, 158
transcendente 23
transeunte 35
transformação interior 118
transtornos de conduta 108
trazer a lume 92
triunfadores 122
triunfo
    aparente 72
    verdadeiro 48
triunfos do mal 126
Twitter 10

U
ultramontano 29
ungir 79, 89, 143, 186
Unidade 168
urdir 8, 38, 105
utilitarismo 140

V
vacuidade 69
vaga 33
vazio existencial 22
veleidade 135
velhos paradigmas 137
verdadeiro poder 180
Vespasiano 126
viandante 118, 173
Vicente de Paulo 148
vida 35
    alegria e tristeza 76, 79
    desafios evolutivos 59
    desencanto 36
    entusiasmo 36
    postura diante 36
    ressurgimento 35
vilania 193
vilegiatura 40, 118
vilipendiar 12
violência 190
    postura para vencer 101
virulência 41
vitória da verdade, A 123
Viver com alegria 75
viver com normalidade 193
volver 100
voragem 126, 137

Y
YouTube 10

© 2010–2024 by InterVidas

DIRETOR
Ricardo Pinfildi
DIRETOR EDITORIAL
Ary Dourado

CONSELHO EDITORIAL
Ary Dourado, Ricardo Pinfildi, Rubens Silvestre

DADOS INTERNACIONAIS DE CATALOGAÇÃO NA PUBLICAÇÃO (CIP BRASIL)

F8252e
Franco, Divaldo [*1927]

Entrega-te a Deus
Divaldo Franco; Joanna de Ângelis [Espírito]
InterVidas: Catanduva, SP, 2024

208 pp.   15,7 × 22,5 × 1,1 cm
Índice

ISBN 978 85 60960 04 0

1. Espiritismo   2. Reflexões
I. Franco, Divaldo   II. Joanna de Ângelis [Espírito]   III. Título

CDD 133.9   CDU 133.9

ÍNDICES PARA CATÁLOGO SISTEMÁTICO
1. Reflexões : Espiritismo 133.9   2. Espiritismo 133.9

1.ª EDIÇÃO
1.ª tiragem, Nov/2010, 40 mil exs. | 2.ª tiragem, Dez/2010, 10 mil exs.
3.ª tiragem, Abr/2012, 10 mil exs. | 4.ª tiragem, Out/2015, 5 mil exs.
5.ª tiragem, Jun/2024, 1,5 mil exs.

DIREITOS DE EDIÇÃO
Editora InterVidas [Organizações Candeia Ltda.]
CNPJ 03 784 317/0001–54   IE 260 136 150 118
Rua Minas Gerais, 1520 Vila Rodrigues 15 801–280 Catanduva SP
17 3524 9801   www.intervidas.com

Impresso no Brasil   *Printed in Brazil*   *Presita en Brazilo*

Colofão

TÍTULO	*Entrega-te a Deus*
AUTORIA	Divaldo Franco [médium], Joanna de Ângelis [Espírito]
EDIÇÃO	1.ª
TIRAGEM	5.ª
EDITORA	InterVidas [Catanduva SP]
ISBN	978 85 60960 04 0
PÁGINAS	208
TAMANHO MIOLO	15,5 × 22,5 cm
TAMANHO CAPA	15,7 × 22,5 × 1,1 cm [orelhas 9 cm]
CAPA ORIGINAL	Andrei Polessi
CAPA ADAPTADA	Ary Dourado
FOTO DIVALDO	Alexandre Battibugli
NOTAS	Ary Dourado
ÍNDICE	Ary Dourado
REVISÃO	Ademar Lopes Junior, Ary Dourado
PROJETO GRÁFICO	Ary Dourado
DIAGRAMAÇÃO	Ary Dourado
TIPOGRAFIA	capa Archer [Thin, Light Italic, Bold, Book, Book Italic, Medium, Medium Italic] [*by* HTF]
	texto principal TheSerif Regular 10/15 [*by* LucasFonts]
	citação TheSerif Regular 8/15 [*by* LucasFonts]
	nota lateral TheSerif Bold 7,5/11,25 [*by* LucasFonts]
	índice TheSerif [Bold, Regular] 7,5/10 [*by* LucasFonts]
	Archer Bold 10/10 [*by* HTF]
	título Archer Bold 16/15 [*by* HTF]
	olho Archer Bold 10/15 [*by* HTF]
	dados TheSerif Regular 8,5/12 [*by* LucasFonts]
	colofão TheSerif Regular 7,5/9 [*by* LucasFonts]
MANCHA	103,33 × 175 mm, 33 linhas [sem título corrente e fólio]
MARGENS	25 : 17,22 : 34,44 : 25 mm [interna : superior : externa : inferior]
COMPOSIÇÃO	Adobe InDesign 19.4 [macOS 14.5]
PAPEL MIOLO	ofsete Sylvamo Chambril Book 75 g/m²
PAPEL CAPA	cartão Ningbo C2S 250 g/m²
CORES MIOLO	1 × 1 Pantone 3005 U
CORES CAPA	4 × 1 CMYK × Pantone 3005 U
TINTA MIOLO	Sun Chemical SunLit Diamond
TINTA CAPA	Sun Chemical SunLit Diamond
PRÉ-IMPRESSÃO	CTP em Kodak Trendsetter 800 Platesetter
PROVAS MIOLO	Epson SureColor P6000
PROVAS CAPA	Epson SureColor P6000
PRÉ-IMPRESSOR	Gráfica Santa Marta [São Bernardo do Campo SP]
IMPRESSÃO	processo ofsete
IMPRESSÃO MIOLO	Komori Lithrone S40P, Komori Lithrone LS40
	Heidelberg Speedmaster SM 102-2
IMPRESSÃO CAPA	Heidelberg Speedmaster XL 75
ACABAMENTO	cadernos de 32 e 16 pp., costurados e colados, capa brochura com orelhas, laminação BOPP fosco e verniz UV brilho com reserva
IMPRESSOR	Gráfica Santa Marta [São Bernardo do Campo SP]
TIRAGEM	1,5 mil exemplares
TIRAGEM ACUMULADA	66,5 mil exemplares
PRODUÇÃO	junho de 2024

Ótimos livros podem mudar o mundo.
Livros impressos em papel certificado FSC® de fato o mudam.

Todos os direitos autorais desta obra são destinados à Mansão do Caminho, obra social do Centro Espírita Caminho da Redenção, fundado em 1947 por Divaldo Franco, Nilson de Souza Pereira e Joanna de Ângelis [Espírito], em Salvador, BA
[www.mansaodocaminho.com.br]

 intervidas.com
 intervidas
 editorainter vidas